Nesta obra, que reflete o encontro de duas gerações, William Douglas e Davi Lago fazem o que o sábio rei Salomão orientou: observaram as formigas. Mas eles foram além; observaram bem a Bíblia e a vida em sociedade. O resultado foi um livro prático, cheio de dicas, truques e quebra-galhos, de aplicação imediata para a vida, a família, a carreira e o ministério! Fui inspirado pela leitura. Sugiro que você leia, aplique e compartilhe!

CARLITO PAES
Pastor da Igreja da Cidade em São José dos Campos (SP)

O pensador contemporâneo cristão William Douglas não para de nos surpreender. Neste novo livro, em parceria com o inspirado Davi Lago, encontramos um rico estudo sobre a sociedade das formigas. Em linguagem agradável, somos levados a uma profunda análise do que Deus tem a nos ensinar por meio de criaturas infinitamente mais simples — e por vezes mais sábias — que nós!

MARCOS SILVESTRE
Economista, comentarista de TV e escritor

A sabedoria é a capacidade de olhar o mundo ao redor, tirar lições e colocá-las em prática. Neste trabalho magistral, William Douglas e Davi Lago oferecem à humanidade um presente de raro valor sobre a nossa complexa relação com o trabalho, utilizando-se de uma perspectiva que vai transformar positivamente a vida dos que lerem esse imprescindível livro.

SÉRGIO QUEIROZ
Procurador da Fazenda Nacional, presidente do Sistema Cidade Viva e autor de *Gloriosas Ruínas*.

Quão maravilhosas são as tuas obras, ó Senhor!
Fizeste-as todas com perfeita sabedoria.
A terra está repleta de tuas criaturas
Salmos 92:5 e 104:24

WILLIAM DOUGLAS
e DAVI LAGO

FORMIGAS
LIÇÕES DA SOCIEDADE MAIS BEM-SUCEDIDA DA TERRA

Copyright © 2016 por William Douglas e Davi Lago
Publicado por Editora Mundo Cristão

Pesquisa de conteúdo: Carlos Eduardo Fernandes

Os textos das referências bíblicas foram extraídos da *Nova Versão Internacional* (NVI), da Biblica Inc., salvo indicação específica. Eventuais destaques nos textos bíblicos e citações em geral referem-se a grifos dos autores.

Todos os direitos reservados e protegidos pela Lei nº 9.610, de 19/02/1998.

É expressamente proibida a reprodução total ou parcial deste livro, por quaisquer meios (eletrônicos, mecânicos, fotográficos, gravação e outros), sem prévia autorização, por escrito, da editora.

CIP-Brasil. Catalogação na Publicação
Sindicato Nacional dos Editores de Livros, RJ

D768f

   Douglas, William
     Formigas: lições da sociedade mais bem-sucedida da terra / William Douglas, Davi Lago; Pesquisa de conteúdo — Carlos Eduardo Fernandes. — 1. ed. — São Paulo: Mundo Cristão, 2016.
     128 p.; 21 cm

   ISBN 978-85-433-0130-3

   1. Religião. 2. Ensino religioso. 3. Sabedoria. 4. Formigas. I. Lago, Davi. II. Fernandes, Carlos Eduardo. III. Título.

15-28188   CDD: 200
                                                 CDU: 2

Categoria: Autoajuda

Publicado no Brasil com todos os direitos reservados por:
Editora Mundo Cristão
Rua Antônio Carlos Tacconi, 69, São Paulo, SP, Brasil, CEP 04810-020
Telefone: (11) 2127-4147
www.mundocristao.com.br

1ª edição: fevereiro de 2016
10ª reimpressão: 2023

Dedicado a José, o carpinteiro.

Sumário

Apresentação	17
Prefácio	19
Introdução	23

Lição 1
Formigas não fogem do trabalho — 29

Lição 2
Formigas trabalham com um propósito — 35

Lição 3
Formigas são organizadas — 41

Lição 4
Formigas têm iniciativa — 55

Lição 5
Formigas adquirem recursos — 61

Lição 6
Formigas não desperdiçam nada — 69

Lição 7
Formigas trabalham em equipe — 79

Lição 8
Formigas administram o tempo com inteligência — 87

Lição 9
Formigas concluem suas atividades em vez de adiá-las — 93

Lição 10
Formigas desfrutam do descanso e dos resultados de   99
seu trabalho

Conclusão   105

Apêndice — Dez lições que aprendemos com as formigas   113

Notas   115

Bibliografia   117

Sobre os autores   119

A Deus.
À minha esposa, Natália, e à minha linda filha, Maria.
Aos meus pais, Elienos e Esmeralda; aos meus irmãos, Lucas e Priscila; e aos meus sogros, Roberto e Dirce.
Ao meu pastor, Jorge Linhares.
Ao editor Maurício Zágari, pela brilhante edição.

DAVI LAGO

A Deus e aos meus pais, Izequias e Josete, pela amizade que se somou à paternidade e à maternidade.

À minha família nuclear, por me desafiar a ser mais que uma máquina de produzir coisas.

Aos meus sócios e às minhas equipes, pela paciência e pela parceria.

A Jorge Linhares e a Reinaldo Morais, pela mentoria.

Last but not least, às formigas.

WILLIAM DOUGLAS

As formigas
Cautelosas e prudentes,
O caminho atravessando,
As formigas diligentes
Vão andando, vão andando…

Marcham em filas cerradas;
Não se separam; espiam
De um lado e de outro, assustadas,
E das pedras se desviam.

Entre os calhaus vão abrindo
Caminho estreito e seguro,
Aqui, ladeiras subindo,
Acolá, galgando um muro.

Esta carrega a migalha;
Outra, com passo discreto,
Leva um pedaço de palha;
Outra, uma pata de inseto.

Carrega cada formiga
Aquilo que achou na estrada;
E nenhuma se fatiga,
Nenhuma para cansada.

Vede! enquanto negligentes
Estão as cigarras cantando,
Vão as formigas prudentes
Trabalhando e armazenando.

Também quando chega o frio,
E todo o fruto consome,
A formiga, que no estio
Trabalha, não sofre fome…

Recorde-vos todo o dia
Das lições da Natureza:
O trabalho e a economia
São as bases da riqueza.

OLAVO BILAC

Apresentação

A Bíblia é um livro fascinante. Traz em si história, poesia, teologia, verdades espirituais, realidades materiais e muito mais. É uma obra inesgotável, repleta de orientações, preceitos e indicações que nos levam a conhecer o Criador do Universo e a viver de acordo com a vontade divina.

Das páginas da Bíblia brotam vida e paz, que transbordam para o coração de cada leitor com imenso poder de transformação. De cada frase das Escrituras saltam virtude, valores e práticas que conduzem a humanidade limitada ao conhecimento do Deus ilimitado, num relacionamento pessoal e íntimo, disponível àqueles que abraçam a verdade do Cristo crucificado e ressurreto. Não é à toa que o livro sagrado do cristianismo é a obra mais lida e vendida de todos os tempos, pois a sabedoria que transmite e as mudanças que promove ultrapassam os limites da cognição humana: é um livro sobrenatural e eterno, com aplicações naturais e imediatas.

Dentro dessa perspectiva, existem maneiras diversas de se ler a Bíblia. Uma delas é lançando um olhar direcionado e cirúrgico sobre trechos específicos do texto sagrado, buscando extrair o máximo possível de aprendizado, mediante estudo, meditação e oração. É exatamente o que William Douglas e Davi Lago fizeram neste livro: da reflexão sobre apenas quatro versículos do livro de Provérbios, conseguiram elaborar princípios capazes de levar pessoas comuns a reflexões úteis para o dia a dia, com liberdade poética e muita criatividade:

> Observe a formiga, preguiçoso, reflita nos caminhos dela e seja sábio! Ela não tem chefe, nem supervisor, nem governante, e ainda

assim armazena as suas provisões no verão e na época da colheita ajunta o seu alimento. Até quando você vai ficar deitado, preguiçoso? Quando se levantará de seu sono?

Provérbios 6.6-9

William e Davi seguiram a orientação bíblica: eles observaram as formigas. E, a partir dessa observação, elaboraram dez lições que podemos aprender com elas. Sem a preocupação com rebuscamentos teológicos, *Formigas* lança um olhar singelo sobre a vida dessas criaturinhas que, a despeito do pequeno tamanho, têm muito a ensinar.

Quem tiver a disposição de olhar para a vida desses insetos, essenciais à boa saúde do nosso planeta, poderá adquirir conhecimentos suficientes para se tornar aquilo que os dicionários apontam como um dos significados, no sentido figurado, de *formiga*: "pessoa econômica e/ou trabalhadora, diligente". Assim como as formigas são seres muito pequeninos, mas capazes de influenciar enormemente a vida dos ecossistemas em que vivem, este livro carrega em si o potencial de promover mudanças em todo aquele que se dispuser a empreender transformações em sua forma de ser e agir. Só depende de cada um investir em aplicar na própria vida os ensinamentos desta obra.

É desejo da Mundo Cristão que *Formigas* contribua para o crescimento e o aperfeiçoamento de seus leitores. Ao longo das próximas páginas, você encontrará sabedoria bíblica, observação de realidades naturais, reflexões e proposições sobre a vida profissional, exortações, orientações e propostas de mudança de atitudes. Abrace as lições que os autores apresentam e dedique-se a aprender com a sociedade mais bem-sucedida da terra. Se aplicar à sua vida aquilo que aprender ao longo das próximas páginas, você poderá fazer muito mais diferença neste mundo — basta realizar o seu importante trabalho de formiguinha.

Boa leitura!

MAURÍCIO ZÁGARI
Editor

Prefácio

Considero uma traição ao texto sagrado o uso da Bíblia exclusivamente como manual para sucesso profissional. A Bíblia não se presta a esse papel. Essa mentalidade utilitarista, que invade inclusive as dimensões sublimes e profundas da espiritualidade, é fruto da sociedade moderna pragmática e positivista, que acredita que todas as coisas devem e podem se submeter à lógica do código que possibilita controle e favorece o sistema de mercado: produção e consumo, cujo fim maior é o bem-estar de quem pode pagar.

Qualificar Jesus como o maior psicólogo que já existiu, vendedor eficaz, mestre da formação de equipes, e CEO do ano é um sacrilégio. Atribuir o êxito de Jesus às técnicas passíveis de replicação por qualquer pessoa para qualquer propósito em qualquer lugar implica a desconstrução do próprio evangelho. Jesus possuía uma natureza peculiar, sua vida atendeu a um propósito singular, sua lealdade se dirigia aos céus, e sua dinâmica de atuação se sustentava em um poder de inusitada aparição no mundo de então.

As afirmações de Jesus a respeito de sua relação com o Espírito Santo e com Deus, o Pai, fazem dele alguém incomparável em termos de vida, propósito e missão: "a minha comida é fazer a vontade do meu Pai", "o Filho não pode fazer nada de si mesmo; só pode fazer o que vê o Pai fazer, porque o que o Pai faz o Filho também faz", "o Espírito do Senhor está sobre mim", "toda a autoridade me foi dada, no céu e na terra", e a surpreendente "eu e o Pai somos um".

Reduzir a pessoa, a vida e a obra de Jesus às relações da equipe de vendas com seu gerente, do CEO com seu conselho de administração, ou do diretor comercial com o desafio das metas do trimestre passa perto da blasfêmia. Transformar Jesus em paradigma de sucesso profissional e modelo de alta performance no mundo corporativo é digno de caricaturas do *Charlie Hebdo*. Acho até engraçada a qualificação contemporânea de Jesus como padrão de pedagogia. Ninguém entendia nada do que ele falava. Não fosse o cuidado de explicar em off algumas parábolas, nem mesmo seus discípulos mais próximos as teriam compreendido. A Bíblia e Jesus Cristo estão em outra categoria de literatura. As prateleiras de autoajuda não suportam seu peso.

Mas com as formigas é diferente. A própria Bíblia recomenda que nelas se preste atenção. O sábio aprende observando as formigas, diz o texto sagrado. Os sábios William Douglas e Davi Lago são bons guias na trilha das formigas. Estudaram, refletiram e registraram de maneira inteligente e clara a sabedoria presente no formigueiro. Seguiram o exemplo de notáveis como Esopo, Mark Twain, H.G. Wells, Olavo Bilac e Lygia Fagundes Telles, apenas para citar uns poucos que antes deles ouviram o conselho do sábio Salomão: "aprenda com as formigas".

Diligência no trabalho, foco no propósito, proatividade organizada, inteligência logística para provisão e cultura de consumo consciente, cooperação e trabalho em equipe, gestão do tempo e planejamento de ações harmônicas são algumas lições que podem saltar da atividade autômata das formigas para a ação consciente, deliberada, aprendida e desenvolvida com disciplina e esforço pelo bicho homem, cujas capacidades, habilidades e atitudes não vêm impressas e programadas em chips originais de fábrica. O que para as formigas é natural, para nós, humanos, é comportamento aprendido e aperfeiçoado. Aquilo que as formigas fazem porque geneticamente programadas por Deus em seu ato criador, que contemplou suas criaturas com a diversidades de suas múltiplas e infinitas inteligências, para nós, seres humanos, se aproveita quando fazemos bom uso de nossa liberdade e autonomia.

O ser humano, criado à imagem e semelhança de Deus, carrega em si a sagrada responsabilidade do protagonismo na construção de si mesmo e sua história. Tem sobre seus ombros o divino encargo de contemplar os infinitos horizontes abertos pelo exercício da criatividade que herdou de Deus, e fazer escolhas de destinos e caminhos. Mas precisa ser humilde, a fim de descer de sua sublime posição e se colocar em situação de aprender com as formigas. Quem sabe a antiga sabedoria dos textos sagrados, onde também se encontra a revelação bíblica, já apontasse o que hoje é ainda incipiente: o planeta Terra e todos os seus habitantes não são o armazém dos recursos que nós, humanos, extraímos de maneira predatória e irresponsável para o nosso exclusivo bem e conforto, mas a casa, onde todos nós, inclusive nós, humanos, com potencial de divindade, juntamente com as formigas, somos hóspedes do Deus Criador.

A relação entre a tradição espiritual judaico-cristã e os guias e os manuais de autodesenvolvimento e eficácia pessoal e profissional é tensa e complexa. A respeito da Bíblia, é inegável que, mesmo quem não a considera texto sagrado e não a adota como revelação divina que exige resposta de fé, nela encontrará um horizonte infinito — que não apenas consolida o bom senso expresso nas múltiplas tradições religiosas e filosóficas como também oferece sabedoria existencial em termos originalíssimos, próprios do monoteísmo judaico que vai culminar no inigualável Jesus de Nazaré. Há sempre o perigo de manipular a Bíblia Sagrada como algo do tipo *48 leis do poder* ou *A arte da guerra*, mas o risco compensa quando se tem em vista a milenar sabedoria que tem guiado homens e mulheres nas noites escuras da alma e nas quadras mais tenebrosas da história da humanidade. Foi com esse cuidado que William Douglas e Davi Lago abordaram o texto bíblico: discernindo seu conteúdo de fé pessoal de sua sabedoria existencial universal. E o fizeram com o temor e tremor que o Deus do Livro exige daqueles que dele, por ele e para ele vivem.

Minha primeira reação ao receber o surpreendente convite de William Douglas para prefaciar um livro a respeito da sabedoria das formigas foi dizer "sim". Embora sobrecarregado com as atividades de final de ano, jamais me atreveria a assinar o recibo da insensatez, com desculpas que evidenciariam que sou mau aluno na escola das formigas. Obrigado, amigo, pela oportunidade de rever meus caminhos, olhando-me no espelho das formigas, e pela honra de cooperar com sua jornada de produção diligente e relevante.

Divirta-se o leitor, com a sabedoria de tantas inteligências citadas nas páginas escritas pelos inteligentes autores, que condensaram a inteligência bíblica, e resumiram a inteligência das formigas. Seja inteligente, aprenda com quem aprendeu. Seja humilde, aprenda com as formigas.

ED RENÉ KIVITZ
Escritor e pastor da Igreja Batista de Água Branca (São Paulo, SP)

Introdução

Observe a formiga, preguiçoso, reflita nos caminhos dela e seja sábio! Ela não tem chefe, nem supervisor, nem governante, e ainda assim armazena as suas provisões no verão e na época da colheita ajunta o seu alimento. Até quando você vai ficar deitado, preguiçoso? Quando se levantará de seu sono?

Provérbios 6.6-9

Formigas. Qual de nós nunca teve a atenção despertada, em algum momento, por esses pequenos insetos? Quem nunca ficou curioso para ver até onde vai a trilha de formigas que se embrenha mata adentro? Ou quem nunca as encontrou em um cantinho de casa, ou em cima daquele doce delicioso esquecido sobre a mesa? Pois saiba que as formigas, essas nossas velhas conhecidas, não são apenas insetos; são máquinas de trabalho, extremamente capacitadas para a luta pela sobrevivência. Nesse aspecto, elas são seres muito bem-sucedidos e aparelhados para a vida. Segundo os biólogos, as formigas existem há bastante tempo. Elas enfrentaram transformações profundas na estrutura do planeta: resistiram a mudanças climáticas, cataclismos, choques de asteroides e outras catástrofes globais. Milhares de espécies animais se extinguiram ao longo da história de nosso mundo, em uma estimativa de 140 mil por ano, mas as formigas permaneceram.

Elas habitam os cinco continentes; vivem em todas as faixas de climas e altitudes; resistem a baixas temperaturas; sobrevivem no calor dos desertos, no topo das montanhas e nas mais profundas formações geológicas.

24 FORMIGAS

Estima-se que um quinto da biomassa — massa orgânica formada pelo conjunto de todos os seres vivos, animais ou vegetais — do globo seja composto por formigas. Se fosse possível reunir todas as formigas do planeta, elas somariam algo como dez quatrilhões (um dez seguido por quinze zeros!) de indivíduos e seriam mais pesadas que toda a humanidade junta. Por isso tudo, a Terra bem que poderia ser chamada de "planeta formiga".

Há um ramo específico da entomologia (área da zoologia que estuda os insetos) dedicado às formigas, chamado mirmecologia. Há 15.738 espécies de formigas já catalogadas, mas os biólogos acreditam que elas podem ultrapassar vinte mil, segundo a professora Inara Leal, especialista da Universidade Federal de Pernambuco.

As formigas são tenazes, fortes, resistentes. Cada uma delas é capaz de carregar o equivalente a até cem vezes seu próprio peso. Como outros insetos, as formigas têm seis patas, articuladas em três junções; e essas estruturas são muito fortes. Elas apresentam ainda ferramentas de defesa bastante eficientes, como ferrões afiados e substâncias tóxicas e corrosivas lançadas contra o inimigo em caso de luta ou perigo.

Isolada, a formiga é um animal frágil e desprotegido, que pode ser esmagado facilmente com apenas um dedo. Mas é na unidade que encontra sua força. Quando em grupo, as formigas se tornam fortes, capazes e produtivas. Dotado, pelo Criador, de extrema sociabilidade (com poucos paralelos no reino animal), esse tipo de inseto se reúne para construir colônias, buscar alimento, defender seu território, combater predadores e perpetuar sua espécie.

> Isolada, a formiga é um animal frágil e desprotegido, que pode ser esmagado facilmente com apenas um dedo. Mas é na unidade que encontra sua força.

Embora, por vezes, possam parecer assustadoras — ainda mais quando atacam plantações e devoram tudo que encontram pela frente —, as formigas fascinam o homem há milênios. Desde os primórdios da nossa civilização, elas têm lugar de destaque na cultura humana. Alguns povos do passado criam que as formigas foram os primeiros habitantes do planeta, ancestrais de todas as formas de vida. Para outros, esses insetos eram considerados mensageiros de divindades: seu comportamento era visto como sinal para os mais diversos presságios e sortilégios. Formigas também eram usadas em cerimônias de iniciação e ritos de passagem. Até hoje, em muitos povos e tribos indígenas, inclusive no Brasil, os rapazes são obrigados a resistir a picadas de formigas atiçadas pelo fogo como parte das cerimônias de ingresso na vida adulta.

A relação entre o homem e as formigas vem de longe. Bastante úteis à agricultura, elas perfuram o solo, tornando-o mais fértil e permeável, o que facilita a germinação das sementes. Além disso, são inimigas naturais de várias pragas das plantações, como lagartas e gafanhotos. Acima de tudo, sempre despertaram o interesse dos entomólogos por sua capacidade de organização e disciplina. Embora as consideremos irracionais, elas seguem um rígido sistema de vida, no qual o trabalho em equipe é o destaque.

As formigas também têm povoado o imaginário coletivo e a literatura. É famosa a fábula da cigarra e da formiga, atribuída ao escritor grego Esopo, do século 6º a.C. Ela conta a história de dois insetos que enxergavam a vida de maneira muito diferente. Enquanto a grande e vistosa cigarra, conhecida por seu canto inconfundível, passa o tempo se divertindo, a pequena formiga ocupa-se com seu trabalho, juntando comida para o inverno.

Os diálogos entre ambas são marcados pela ironia da cigarra, que critica a amiga trabalhadora por não desfrutar da vida. Por sua vez, a formiga dá lições de previdência à cigarra, advertindo-a de que o tempo é curto para se fazer o que é necessário. Passam-se as estações, chega o inverno e a formiga pode, enfim, ver a retribuição de seu trabalho duro, graças às provisões que acumulou para atravessar aquele período de escassez. Enquanto isso, a cigarra já não vê graça na vida, pois tem de enfrentar todo tipo de necessidade. Séculos se passaram e a narrativa de Esopo continua sendo contada e recontada.

Em tempos mais próximos, formigas foram tema de escritos de autores como Mark Twain e H. G. Wells. Na literatura brasileira, *As formigas* é o título de um conto de Lygia Fagundes Telles. No cinema e na TV, elas também são estrelas. O divertido desenho animado *Formiga atômica*, dos estúdios Hanna-Barbera, fez enorme sucesso nos anos 1970 e 1980. O filme *Querida, encolhi as crianças* (Joe Johnston, 1989) apresenta a interação entre crianças e uma formiga do quintal de sua casa — os meninos foram "reduzidos" por uma "máquina de encolher", por isso a formiga, vista de perto, se tornou assustadora. Já na animação *Vida de inseto*, a simpática formiguinha Flick, inconformada com a rotina do formigueiro e a exploração de seus semelhantes por uma gangue de gafanhotos, torna-se uma heroína. *Formiguinhaz*, por sua vez, conta as peripécias de Z, uma formiga que, entre cinco milhões de irmãos, detesta seu trabalho como operário. Após trocar de lugar com uma formiga-soldado, Z vai à guerra, apaixona-se por uma princesa e salva seu formigueiro da destruição. Outro personagem dos formigueiros, o simpático Smilingüido, criado pelos brasileiros Márcia d'Haese e Carlos Tadeu Grzybowski, é protagonista de livros, tirinhas, revistas, cartões e uma série de produtos nos quais algumas das principais características das formigas, como o pequeno tamanho e a fragilidade, são superadas pela união. Frágeis sozinhos, mas fortes quando unidos, Smilingüido e sua turma superam desafios, aprendem grandes lições de vida e passam mensagens positivas sobre fé, amizade, honestidade e perseverança.

Essas histórias são baseadas na capacidade que as formigas têm de trabalhar por seus objetivos — uma característica que pode inspirar todos nós. Apesar de bem conhecidos, esses minúsculos animais podem passar despercebidos no dia a dia, sobretudo aos moradores das cidades. O que é uma pena, pois, silenciosamente, esses insetinhos nos proporcionam preciosas lições de vida. Há três mil anos, a Bíblia já destacava a admirável capacidade das formigas. O livro de Provérbios, escrito em grande parte por Salomão, o terceiro rei de Israel, enaltece esse animal e o usa para confrontar o pecado da preguiça. Em sua palestra para líderes intitulada "A teologia das formigas", o pastor Reginaldo Martins defende que tais criaturas são apontadas na Bíblia como um dos importantes exemplos de serviço. Martins afirma que tanto o preguiçoso quanto o líder, a equipe e os trabalhadores em geral devem olhar para as formigas e aprender com elas como fazer o melhor. Ele afirma que os povos árabes têm a sabedoria da formiga em tão alta estima que, quando nasce uma criança, costumam pôr em suas pequenas mãos um desses insetos, repetindo estas palavras: "Oxalá sejas igualmente inteligente e hábil".

Formigas não fogem do trabalho, trabalham com um propósito, são organizadas, têm iniciativa, adquirem recursos, não desperdiçam nada, trabalham em equipe, administram o tempo com inteligência e concluem suas atividades em vez de adiá-las. A despeito de tudo isso, sabem usufruir do descanso e desfrutam dos resultados de seu trabalho. Se queremos viver melhor, essas são dez valiosas lições que precisamos aprender com as formigas — que formam a sociedade mais bem-sucedida do mundo!

Lição 1

Formigas não fogem do trabalho

As formigas são exemplos poderosos de movimento, ação e empenho. As tarefas que realizam, em suas múltiplas formas — das operárias às guerreiras, passando pelas reprodutoras e aquelas que têm a função de criar novas colônias —, já vêm programadas em seu código genético. Esses insetos realmente trabalham: organizam-se, constroem formigueiros complexos, procuram comida, acionam outras formigas em busca de ajuda, armazenam as provisões e adaptam-se a mudanças do ambiente. E, por mais que essas criaturinhas tenham sido estudadas, os cientistas continuam descobrindo novos aspectos sobre suas habilidades.

Um exemplo é a capacidade de comunicação. Hoje, sabe-se que, além de realizar certos contatos dotados de significados, as formigas são capazes de "ouvir" instruções de sua rainha, embora não tenham ouvidos. Pesquisadores das universidades de Oxford, na Inglaterra, e de Turim, na Itália, fizeram um curioso experimento que demonstra essa capacidade. Eles gravaram os sons emitidos pelas rainhas e os reproduziram dentro do formigueiro. Embora nada estivesse acontecendo, os insetos perceberam o som e, imediatamente, entraram em estado de alerta, com as antenas estendidas e as mandíbulas abertas, prontas para a luta.

As formigas têm, ainda, olhos grandes e compostos, capazes de dividir as imagens em pequenas unidades visuais que serão reunidas e interpretadas no cérebro. Mas seus principais órgãos sensoriais são as antenas, que elas movimentam continuamente para perceber sons, vibrações, temperaturas e odores. A maioria de nós já observou trilhas de formigas. Elas seguem, de maneira organizada, uma após outra, por um caminho marcado por fluidos corporais, conduzindo folhas, sementes, insetos e até pequenos animais mortos, como camundongos e rãs, que lhes servirão de alimento. Muitas vezes, elas caminham centenas de metros, distância que, para um ser humano, equivaleria a andar por cinquenta, cem quilômetros de cada vez. Diante de um obstáculo, como uma pedra ou uma poça d'água, as formigas fazem o desvio necessário, sem largar o que carregam. E, se um indivíduo tem dificuldade para levar sozinho uma folha ou semente grande demais, logo outras formigas partem em seu socorro.

Tenacidade é a característica marcante das formigas. Experimente, por exemplo, colocar uma pedrinha ou um graveto na entrada do formigueiro, e elas logo se juntarão para remover o obstáculo, visando ao bem-estar e à segurança de todas. E, se o formigueiro é definitivamente soterrado, elas logo se empenham para abrir outra passagem.

Esses insetos nos ensinam a ter entusiasmo no trabalho. Assim se inicia o texto de Provérbios 6.6-9: "Observe a formiga, preguiçoso, reflita nos caminhos dela e seja sábio!". O contraponto entre a formiga e a figura do preguiçoso é interessante e urgente, pois, sem entusiasmo, a vida nunca será satisfatória. A indiferença, a apatia e o comodismo fazem que muitas pessoas não encarem suas tarefas e responsabilidades, o que é a base para a perpetuação de seu fracasso.

> O contraponto entre a formiga e a figura do preguiçoso é interessante e urgente, pois, sem entusiasmo, a vida nunca será satisfatória.

É traço característico da sociedade contemporânea uma grande desorientação profissional. Muitos trabalhadores estão insatisfeitos em sua profissão, por motivos como o tédio da rotina, as longas jornadas, a falta de oportunidades, o cansaço dos longos deslocamentos entre a casa e o emprego, a ausência de perspectivas e a carência de inovação. Você mesmo pode estar enfrentando dificuldades como essas. Com o tempo, isso acaba destruindo por completo o prazer que se pode e se deve encontrar no trabalho. Mas o provérbio questiona com veemência: "Até quando você vai ficar deitado, preguiçoso? Quando se levantará de seu sono? Tirando uma soneca, cochilando um pouco, cruzando um pouco os braços para descansar, a sua pobreza o surpreenderá como um assaltante, e a sua necessidade lhe sobrevirá como o homem armado" (Pv 6.9-11). A pergunta é clara: "Até quando?". Até quando ficaremos choramingando por nossa situação financeira? Até quando culparemos os outros por nosso fracasso profissional? O primeiro passo para a transformação, a reinvenção e a potencialização da vida profissional é, simplesmente, o abandono da apatia.

De nada valem aptidões e talentos se o indivíduo não está disposto a trabalhar. "Observe a formiga, preguiçoso!" — o conselho bíblico permanece mais atual do que nunca! A figura do preguiçoso, em Provérbios, chega a ser tragicômica. Ele é citado como alguém sem iniciativa e que, por isso mesmo, nunca termina uma atividade, não enfrenta nada e não chega a lugar nenhum na vida. Na obra *Sabedoria bíblica*, o pastor britânico Charles Spurgeon afirma o seguinte: "Tudo no mundo tem alguma utilidade, mas o filósofo ou a coruja sábia, em seu campanário, quebrariam a cabeça para descrever a utilidade da preguiça".

Peneire um preguiçoso grão a grão e você não encontrará nada de bom. Já se disse que "preguiça é descansar antes de estar cansado". Provérbios afirma isso claramente: "Como a porta gira em suas dobradiças, assim o preguiçoso se revira em sua cama" (26.14). É óbvio que o sono é um elemento necessário para uma vida saudável. Descanso, além de renovar o corpo, restaura a alma e a mente. A questão é que as formigas sabem muito bem o momento de trabalhar e a hora de parar. Por isso, a Bíblia chama o sono do trabalhador de "ameno" (Ec 5.12). Porém, o sono excessivo pode ser destrutivo e a indolência do preguiçoso é sinônimo de indiferença e de egoísmo.

A comparação bíblica é precisa: uma porta faz muitos movimentos, mas não sai do lugar. A mesma coisa acontece com o preguiçoso: ele se revira de um lado para o outro, mas não se levanta de onde está. Como uma porta presa por suas dobradiças, ele está confinado a um círculo vicioso de movimento. Como uma porta que às vezes se abre e em outras se fecha, o preguiçoso pensa em sair da cama, mas logo decide dormir um pouco mais. Assim, enquanto a porta se abre para o diligente que segue para seu trabalho, a cama precisa suportar o preguiçoso em sua inutilidade.

As formigas são excelentes no que fazem e constituem uma ótima fonte de inspiração para o trabalho. E quanto a você, como anda seu desempenho profissional? Sua *performance* é sofrível, medíocre ou satisfatória? Você inspira seus colegas, honra a instituição na qual trabalha e se destaca pelo que faz? Ou, pelo contrário, é um peso em seu setor, desestimula os colegas com sua preguiça e é visto como um exemplo a *não* ser seguido? O preguiçoso, mais cedo ou mais tarde, trará incômodo aos outros e será evitado. "Como o vinagre para os dentes e a fumaça para os olhos, assim é o preguiçoso para aqueles que o enviam" (Pv 10.26). Vinagre nos dentes e fumaça nos olhos são tão irritantes quanto o preguiçoso que não faz o que lhe cabe. E isso não vale apenas para o ambiente de trabalho. Quantas mulheres sofrem porque o marido, em casa, é completamente imprestável? E quantos pais sentem amargura por ver o filho parado na vida, sem trabalhar ou estudar, sendo um verdadeiro peso em suas costas? "O preguiçoso morre de tanto desejar e de nunca pôr as mãos no trabalho" (Pv 21.25). A equação fatal apresentada nas Escrituras Sagradas é clara:

Desejos + Nenhuma ação prática = Morte

O preguiçoso deseja muitas coisas, como beber, comer, passear, viajar, casar, mobiliar a casa, fazer mestrado, comprar roupas de grife. O problema é que ele só deseja e não faz nada. O preguiçoso não quer nada com o trabalho. Ele ambiciona apenas ganhos; não está disposto a pagar preços. O resultado é uma vida vazia: "O preguiçoso deseja e nada consegue" (Pv 13.4).

O mercado de trabalho está cada vez mais competitivo. Foi-se o tempo em que bastava o ensino médio para se obter um emprego que suprisse ás necessidades da família. Hoje em dia, falar idiomas e ter um diploma de graduação — e, de preferência, mestrado e doutorado — já são pré-requisitos para muitos postos de trabalho, e não apenas diferenciais na disputa por uma vaga. Mas formação acadêmica não basta; o mercado busca profissionais multifocados, inovadores, capazes de se adaptar a novas condições e superar dificuldades. Em suma, o mundo corporativo busca gente que seja formiga, que não desista, não se detenha diante de obstáculos e seja capaz de sobreviver mesmo sob condições adversas. Para uma pessoa ter chances de sucesso na vida profissional, é preciso ampliar sua visão de mundo, capacitar-se e trabalhar com todo o esmero possível.

Portanto, mova-se! Atualize-se, não menospreze oportunidades. Trabalhe para deixar um legado. Dedique-se com excelência à sua vida profissional e faça algo que vai permanecer para as próximas gerações.

Respostas bíblicas para problemas humanos

Você diz: "Estou exausto".

Deus responde: "Venham a mim, todos os que estão cansados e sobrecarregados, e eu lhes darei descanso" (Mt 11.28).

Você diz: "Eu não sei que caminho seguir".

Deus diz: "Confie no SENHOR de todo o seu coração e não se apoie em seu próprio entendimento; reconheça o SENHOR em todos os seus caminhos, e ele endireitará as suas veredas" (Pv 3.5-6).

Você diz: "Eu não posso me perdoar".

Deus diz: "Se confessarmos os nossos pecados, ele é fiel e justo para perdoar os nossos pecados e nos purificar de toda injustiça" (1Jo 1.9).

Você diz: "Tenho medo de ficar sem recursos".

Deus diz: "Nunca o deixarei, nunca o abandonarei" (Hb 13.5).

Lição 2

Formigas trabalham com um propósito

O versículo 8 de Provérbios 6 afirma que a formiga trabalha com um propósito: ela acumula recursos para o futuro. Desse propósito expresso, muitos outros se vislumbram: formigas trabalham pela perpetuação da espécie, para o sustento das próximas gerações e assim por diante. Formigas trabalham pela vida! O escritor e divulgador científico brasileiro Eurico Santos afirmou:

> As formigas-de-fogo se aninham em quase toda espécie de lugar e são extremamente prolíficas. Nem as inundações as podem deter [...] se tem noticiado que, quando as águas sobem e alagam uma colônia, elas formam um bolo, com a rainha e as crias no centro, e essa esfera viva flutua para a frente, até uma árvore ou terreno mais elevado, onde as obreiras recomeçam a construção do lar.[1]

Formigas agem com um propósito. O ponto é este: trabalho envolve propósito! Sem isso, ficamos à deriva dos acontecimentos, das intempéries da vida. A falta de finalidades definidas dificulta ou até mesmo impossibilita a tomada de decisões sérias. Então, qual será o propósito do nosso trabalho?

O curioso é que muitos entendem o trabalho como algo ruim, um "mal necessário". Um antigo gracejo diz: "Quem inventou o trabalho não tinha nada para fazer". Escuta-se comumente que, na perspectiva judaico-cristã, o trabalho é um "castigo" imposto por Deus ao homem. Chega-se a ponto de afirmar que, segundo as Escrituras, o trabalho seria uma espécie de maldição, uma punição ao gênero humano por conta do pecado original. No entanto, uma análise séria revela que essas afirmações são uma grotesca caricatura do genuíno ensino bíblico sobre o assunto. O que nós precisamos, isto sim, é saber quais são os objetivos do trabalho. De acordo com a Bíblia, trabalho não é maldição; é dádiva. O trabalho não veio como castigo pelo pecado, mas como um dom e uma missão: o primeiro homem deveria "cuidar do jardim". Trabalho é consequência da criação e não da queda.

> De acordo com a Bíblia, trabalho não é maldição; é dádiva.

A Bíblia apresenta preceitos sábios sobre o trabalho, e eles não podem ser ignorados. O salmo 104, por exemplo, expõe aspectos importantes da atividade humana. O texto faz uma narrativa poética acerca do funcionamento do mundo, falando sobre a dinâmica das estações, dos dias e das noites e sobre a vida dos animais selvagens. Também afirma que Deus fez a Lua para marcar estações, e que o Sol sabe quando deve se pôr. "Trazes trevas, e cai a noite, quando os animais da floresta vagueiam. Os leões rugem à procura da presa, buscando de Deus o alimento, mas ao nascer do sol eles se vão e voltam a deitar-se em suas tocas" (v. 20-22). Na sequência, o salmista afirma a ligação orgânica que há entre os seres humanos e o trabalho: "Então o homem sai para o seu trabalho, para o seu labor até o entardecer" (v. 23). Analisando esses textos bíblicos, em contraposição à atual conjuntura do mundo profissional, podemos levantar uma série de questões urgentes e necessárias a fim de refletirmos acerca do papel do trabalho em nosso tempo.

O trabalho desumaniza?

Percebe-se no salmo 104 que o trabalho é parte de nossa humanidade. Assim como a Lua e o Sol marcam as estações, e assim como os animais predadores têm o instinto de procurar suas presas no momento próprio, o ser humano sai naturalmente para trabalhar.

Somos, por natureza, *homo faber*, isto é, seres capazes de fabricar ou criar com ferramentas e inteligência.

No entanto, uma grande ironia do mundo contemporâneo é a desumanização que o trabalho causa em muita gente. Como Charles Chaplin já denunciou em *Tempos modernos*, clássico do cinema lançado em 1936, os trabalhadores correm o risco de se tornar como máquinas, seres sem vontade, que não veem propósito em sua atividade. Tanto é assim que as crises provocadas pela maneira errada de viver e interpretar o trabalho têm levado muitos profissionais a uma aposentadoria prematura, causada pela depressão, pelo estresse e pela ansiedade.

O trabalho desorienta?

Ao nascer do sol, os animais selvagens vão dormir, "então o homem sai para o seu trabalho". Trabalhar envolve uma "saída" — decidida, focada, convicta. Mesmo os que trabalham em *home office* precisam "sair" para trabalhar. Ou seja, quem trabalha em casa precisa se desligar da vida doméstica e dedicar força e concentração ao trabalho.

Contudo, verificamos na sociedade atual, em diversos aspectos, que o trabalho, em vez de dar rumo, tem desnorteado as pessoas. Olhando por um prisma prático, o simples "sair para o trabalho" tornou-se um inferno nas metrópoles, em razão do trânsito intenso de automóveis.

Por outro lado, a chance de "sair para o trabalho" não existe para muitos que estão à margem do mercado e sofrem com o desemprego. Por outra perspectiva, ainda, a clareza do que significa "sair para o trabalho" não existe para muitos adolescentes que sofrem de indecisão crônica em relação ao curso que farão na universidade.

O trabalho escraviza?

O salmo 104 diz que o homem sai para seu trabalho e seu expediente se estende "até o entardecer". Isso revela dois aspectos da vida profissional. Primeiro, que o trabalho deve envolver parte expressiva do nosso tempo. É uma atividade essencial à vida, e merece dedicação, tempo e esforço. No entanto, há outro lado: deve ter limites. Na sociedade pós-moderna, tem havido muito desequilíbrio entre trabalho e descanso. Os chamados *workaholics* são bem-vistos socialmente porque trabalham muitas horas além das jornadas estabelecidas e investem parte do tempo livre, inclusive em fins de semana, às atividades profissionais. Em nossos dias, é considerado normal uma pessoa perder horas de sono trabalhando um pouco mais. Consideramos normal e até mesmo sadio realizar horas extras.

> O trabalho deve envolver parte expressiva do nosso tempo. É uma atividade essencial à vida, e merece dedicação, tempo e esforço. No entanto, há outro lado: deve ter limites.

Com base na perspectiva bíblica, porém, vemos que o trabalho não pode nos desumanizar a esse ponto. O próprio Deus "descansou" de sua obra criadora no sétimo dia. No antigo Israel, era regra observar o ano sabático, um período de pausa na atividade agrícola, a cada sete anos, para o descanso da terra. No sábado, dia consagrado ao Senhor, era proibido aos hebreus trabalhar, pois deveriam dedicar-se a atividades espirituais e familiares. Durante muitos séculos, o domingo foi visto como um dia especial, no qual o trabalho deveria ser evitado. Novos tempos, novos valores: hoje em dia, é cada vez mais comum vermos gente trabalhando aos sábados, domingos e feriados. Claro que boa parte desses trabalhadores o faz por absoluta necessidade, mas há também aqueles que desejam apenas acumular dinheiro e bens materiais, independentemente do custo pessoal, familiar e espiritual. Precisamos, mais do que nunca, repensar o sentido do trabalho no mundo de hoje. E podemos começar, simplesmente, repensando o papel da profissão em nossa vida.

Razões bíblicas para o trabalho

A glória de Deus
A Bíblia deixa claro que o objetivo supremo de tudo o que fazemos na vida é glorificar a Deus: "Quer vocês comam, bebam ou façam

qualquer outra coisa, façam tudo para a glória de Deus" (1Co 10.31). O Senhor não deve ser encaixado em algum tempo vago da nossa agenda; ele precisa ocupar o núcleo da nossa existência. Jesus deixou isso bem claro ao nos aconselhar: "Busquem, pois, em primeiro lugar, o Reino de Deus e a sua justiça" (Mt 6.33). Quando Deus está em primeiro lugar, tudo mais faz sentido. Quando o trabalho é para a glória do Senhor, sabemos o verdadeiro significado de nossa atividade. A vida deve ser muito mais do que uma existência mecânica e repetitiva. Enquanto tivermos uma visão unicamente materialista da vida, ela jamais terá significado. A busca por sentido e razão é expressão de um anseio por Deus.

O apóstolo Paulo escreveu: "Nele [Jesus] foram criadas todas as coisas nos céus e na terra, as visíveis e as invisíveis, sejam tronos ou soberanias, poderes ou autoridades; todas as coisas foram criadas por ele e para ele. Ele é antes de todas as coisas, e nele tudo subsiste" (Cl 1.16-17). Fica claro que o propósito fundamental de tudo é dar glória e honra ao Criador. O ser humano foi criado por Deus e para Deus, e só nele encontra significado. A humanidade não é um mero resultado biológico de milhões e milhões de anos de um processo evolutivo marcado por sucessivas mutações e uma boa dose de acaso. Há um Deus que soprou no homem o fôlego de vida; portanto, há um propósito maior, um valor intrínseco a cada ser humano. O teólogo João Calvino afirmou que o coração humano é uma fábrica de ídolos. Devemos estar atentos a isso. A vida profissional não pode ser como uma divindade em nossa vida; Deus é o único digno da supremacia e da preeminência em nossa existência.

Entre suas orientações, Paulo afirma: "Tudo o que fizerem, façam de todo o coração, como para o Senhor, e não para os homens" (Cl 3.23). Deus é, em última instância, o nosso "chefe", e tudo o que fizermos deve ser realizado para a glória dele e o bem-estar de todos.

Acúmulo de riqueza e satisfação das necessidades materiais
Em seu livro *Trabalho ou emprego?*, a doutora em Ciências Sociais e professora de Sociologia Noêmia Lazzareschi defende que

40 FORMIGAS

"trabalhar significa criar utilidades para a satisfação das necessidades humanas, isto é, produzir coisas" e realizar atividades "cujo resultado permita a satisfação de uma necessidade humana sem que esse resultado assuma a forma de um bem material". Deus disse para Adão: "Com o suor do seu rosto você comerá o seu pão" (Gn 3.19). Já o apóstolo Paulo, um dos maiores líderes da história da Igreja, foi taxativo: "Se alguém não quiser trabalhar, também não coma" (2Ts 3.10).

Auxílio aos necessitados
Além de suprir suas necessidades, o indivíduo que trabalha pode prover para outros. Esse é um ensino bíblico claro: "Se alguém não cuida de seus parentes, e especialmente dos de sua própria família, negou a fé e é pior que um descrente" (1Tm 5.8); "O que furtava não furte mais; antes trabalhe, fazendo algo de útil com as mãos, para que tenha o que repartir com quem estiver em necessidade" (Ef 4.28).

Comunicação do evangelho
Paulo escreveu: "Esforcem-se para ter uma vida tranquila, cuidar dos seus próprios negócios e trabalhar com as próprias mãos, como nós os instruímos; a fim de que andem decentemente aos olhos dos que são de fora e não dependam de ninguém" (1Ts 4.11-12). Isso mostra que o trabalho honesto depõe favoravelmente, aos olhos de quem não é cristão, acerca das qualidades de quem é seguidor de Cristo.

* * *

Ao contrário do que a sociedade apregoa atualmente, a fé cristã não limita a razão do trabalho apenas à questão material. Pela perspectiva bíblica, o trabalho vai muito além, pois constitui parte de nossa própria humanidade. Aquele que tem temor ao Senhor faz de seu trabalho uma missão neste mundo. É por meio da atividade profissional que podemos viver uma vida justa e digna, honrando aquele que nos criou. É também pelo trabalho que damos testemunho de nossa fé: "O que as suas mãos tiverem que fazer, que o façam com toda a sua força" (Ec 9.10).

Lição 3

Formigas são organizadas

As formigas se organizam com uma rigorosa disciplina. Todo o formigueiro existe e se mantém graças a essa capacidade organizacional, que deixaria boquiabertos muitos gestores de recursos humanos. A minuciosa organização de uma colônia de formigas baseia-se, de modo geral, em três categorias de insetos: as operárias, os machos e a rainha. E cada uma dessas categorias cumpre rigidamente sua função.

Mais numerosas, as operárias são estéreis, existindo apenas para o trabalho. Em geral, são elas que vemos desempenhar uma série de funções, como a procura e o transporte de alimento e a defesa do formigueiro. Os machos, por sua vez, têm uma finalidade bem específica: fecundar a rainha e, assim, perpetuar a espécie. Tanto que morrem logo após o acasalamento. Já a rainha, ao contrário do que muitos pensam, não "governa" o formigueiro. Sua função principal é gerar filhotes, e, para isso, nem precisa se movimentar: ela é capaz de armazenar espermatozoides suficientes para gerar milhares de filhotes. Sendo uma fêmea fértil, cabe a ela iniciar o povoamento do formigueiro. Todas as formigas de uma colônia são, portanto, filhas da rainha.

Formigas são eficientes, produtivas e competentes. Elas se organizam para que seu trabalho renda ao máximo e que o esforço seja otimizado. Os indivíduos dessa sociedade não competem entre si; de fato, cada um realiza sua tarefa sem ficar vigiando o andamento do trabalho do outro. Cada inseto tem de ser produtivo em suas atividades, para que a energia e os recursos nelas despendidos sejam recompensados. A organização das formigas é um exemplo para nós. Assim como elas, melhor faríamos se nos esforçássemos, sempre, por trabalhar de modo proveitoso e frutífero, tanto para nós mesmos quanto para a família e a sociedade.

Existe uma série de motivos pelos quais os profissionais procuram dar uma guinada na carreira: crise, recuperação de um período difícil, anseio por mudanças em longo prazo, desejo de melhores perspectivas, encerramento de um ciclo e sensação de falta de rumo, entre outros. Seja uma mudança radical, seja um período de renovação da vida profissional, é necessário planejar. E isso requer organização. A Bíblia estabelece: "Os planos bem elaborados levam à fartura; mas o apressado sempre acaba na miséria" (Pv 21.5). O planejamento é prática fundamental para quem quer ser vitorioso na vida. Sem um plano, tendemos a vagar pela existência sem direção nem propósito. Sem organização, não chegamos a lugar nenhum. A falta de planejamento torna tudo mais difícil. Ninguém obtém sucesso e estabelece uma reputação digna por acaso. Sem planejamento, você não será capaz de reconhecer e aproveitar as oportunidades da vida, dizer para onde vai ou discernir o momento que está vivendo. Por isso, o inventor Thomas Edison, criador do fonógrafo e da lâmpada elétrica com filamento metálico, entre muitas outras brilhantes inovações, afirmou: "Nunca criei algo de valor acidentalmente".

> O planejamento é prática fundamental para quem quer ser vitorioso na vida. Sem um plano, tendemos a vagar pela existência sem direção nem propósito. Sem organização, não chegamos a lugar nenhum.

Para manter o senso de direção e evitar momentos à deriva, é fundamental seguir um projeto estruturado. Sem planejamento, o profissional tende a optar sempre pelo caminho mais fácil ou, simplesmente, deixa as coisas acontecerem. Assim, fica inseguro e ansioso quanto ao futuro, já que carrega aquela incômoda sensação de falta de controle sobre as coisas. Quem não se organiza toma decisões na incerteza e perde tempo com escolhas erradas. Já quem planeja a vida e a carreira tem clareza quanto às prioridades, ao senso de direção e às perspectivas de futuro, além de saber aproveitar melhor a experiência adquirida na trajetória profissional. Como você vem administrando sua carreira até agora?

A Bíblia está repleta de lições sobre planejamento. O próprio Deus é apresentado como um grande estrategista — não por acaso, um dos nomes pelos quais ele é chamado é "arquiteto" (Hb 11.10). Certa vez, Jesus chamou a atenção de seus discípulos sobre o fato de que o planejamento é parte intrínseca de atividades bem-sucedidas:

> Qual de vocês, se quiser construir uma torre, primeiro não se assenta e calcula o preço, para ver se tem dinheiro suficiente para completá-la? Pois, se lançar o alicerce e não for capaz de terminá-la, todos os que a virem rirão dele, dizendo: "Este homem começou a construir e não foi capaz de terminar". Ou, qual é o rei que, pretendendo sair à guerra contra outro rei, primeiro não se assenta e pensa se com dez mil homens é capaz de enfrentar aquele que vem contra ele com vinte mil? Se não for capaz, enviará uma delegação, enquanto o outro ainda está longe, e pedirá um acordo de paz.
>
> Lucas 14.28-32

Deus planejou minuciosamente o mundo em que vivemos. O relato da criação é uma aula de organização e gestão de recursos. Antes de qualquer coisa, Deus criou os céus e a terra, a base para tudo. Em seguida, formou a água, sem a qual a vida não seria possível. Depois, fez o Sol, para fornecer o calor necessário à existência de vida. Ele criou também a Lua, para, junto com o Sol, reger as estações e as marés. Só depois, então, Deus criou as formas de vida, para que sobrevivessem em um ambiente adequado e devidamente preparado. Por último, o Criador formou o homem, responsável por reger e administrar tudo. Assim como a formiga, que em algum recôndito de seu ser carrega a sabedoria para construir intrincados formigueiros, ou o arquiteto que desenha, mensura e elabora um projeto de construção, Deus também planeja e executa projetos. Desse modo, a Bíblia afirma que nenhum ser vivo vegetal, animal ou humano veio à existência por acidente, e que nada acontece por acaso: foi Deus quem desejou, planejou e criou tudo. O Senhor sustenta e governa o Universo!

As Escrituras exaltam a sabedoria de Deus e enfatizam seu zelo pelo planejamento. Em uma passagem do livro de Jeremias, o Senhor diz aos israelitas: "'Porque sou eu que conheço os planos que tenho para vocês', diz o SENHOR, 'planos de fazê-los prosperar e não de lhes causar dano, planos de dar-lhes esperança e um futuro'" (Jr 29.11). Há na Bíblia ricos ensinamentos sobre a arte de elaborar e executar planos, lições essas que se aplicam à carreira, à administração da vida em família, à produção acadêmica, à gestão financeira ou a qualquer outra área da existência humana. Podemos apontar quatro orientações principais para quem deseja fazer um plano: a definição de objetivos, o estabelecimento de uma estratégia, a busca pela boa orientação e a consagração de tudo a Deus.

Defina objetivos

O primeiro passo que uma pessoa deve dar na elaboração de um plano é definir quais objetivos quer alcançar. É necessário ter alvos na vida. Você deseja chegar a qual posição? Questione-se: o que almejo ser, realizar, possuir? Você sabe responder a indagações? É importante fazê-lo, pois o estabelecimento de metas propicia a concentração no trabalho.

É impressionante perceber como a maioria das pessoas vive sem traçar objetivos, gente que simplesmente não sabe para onde vai. Precisamos ser pessoas de visão. Se estiver sempre em busca de expandir seus horizontes, você será uma pessoa saudável. Sua vida nunca é maior que sua visão; você é do tamanho daquilo que visualiza para si. Se você deseja definir objetivos, tenha sonhos, ambições saudáveis. Observe as formigas: seu ciclo de vida é uma sucessão de metas. Primeiro, reunir-se para construir a toca; depois, dividir as diferentes tarefas do formigueiro; em seguida, buscar alimento. A qualquer instante, a comunidade pode ser convocada a defender seu espaço contra a invasão de inimigos ou enfrentar intempéries, como enchentes que inundam as galerias. A visão das formigas é clara: sobreviver e garantir a preservação da espécie. E elas têm sido extremamente bem-sucedidas nisso há milênios.

> Sua vida nunca é maior que sua visão; você é do tamanho daquilo que visualiza para si. Se você deseja definir objetivos, tenha sonhos, ambições saudáveis.

O grande problema é que a sociedade contemporânea não tem visão. Uma das características da pós-modernidade é o fim das utopias e a desconstrução dos sonhos. O secularismo, a cultura de massa, as crises econômicas e políticas, a corrupção e a violência tornaram o homem pós-moderno um pessimista crônico. Para muitos, a vida não passa de um absurdo. Mas a Bíblia nos enche de confiança! Ela é um livro de esperança e está repleta de exemplos de pessoas que tinham sonhos e objetivos claros. Paulo enfatiza: "Não corro como quem corre sem alvo, e não luto como quem esmurra o ar" (1Co 9.26). Isso demonstra um homem com metas, que não caminha em qualquer direção ou, tão somente, se deixa levar pela vida. Não existe, porém, maior exemplo do que Jesus, que dispunha de um profundo senso de direção e propósito. O Filho de Deus disse: "sei de onde vim e para onde vou" (Jo 8.14). Em diferentes passagens dos evangelhos, o Salvador afirma aspectos de sua missão na terra. Em cada afirmação, percebemos que ele tinha objetivos definidos:

- "Pois nem mesmo o Filho do homem veio para ser servido, mas para servir e dar a sua vida em resgate por muitos" (Mc 10.45).
- "Eu vim para que tenham vida, e a tenham plenamente" (Jo 10.10).
- "Pois o Filho do homem veio buscar e salvar o que estava perdido" (Lc 19.10).
- "É necessário que eu pregue as boas novas do Reino de Deus noutras cidades também, porque para isso fui enviado" (Lc 4.43).
- "Não pensem que vim abolir a Lei ou os Profetas; não vim abolir, mas cumprir" (Mt 5.17).

- "Por esta razão nasci e para isto vim ao mundo: para testemunhar da verdade" (Jo 18.37).
- "Pois Deus enviou seu Filho ao mundo, não para condenar o mundo, mas para que este fosse salvo por meio dele" (Jo 3.17).

Muitas pessoas se perdem em meio aos problemas e desafios porque não sabem como enfrentá-los. Agindo assim, seremos controlados pelas dificuldades, em vez de dominá-las e superá-las. Profissionais habilidosos sabem que um problema só é relevante quando se interpõe entre nós e nosso objetivo. Dois requisitados palestrantes internacionais, Steve Chandler e Scott Richardson, afirmam: "Às vezes você nem precisa apagar o incêndio; mas pode, simplesmente, se desviar do fogo para obter o que deseja".[1]

Portanto, a grande pergunta é: Quais são seus objetivos? Até mesmo as formigas têm resposta clara para tal questão. O objetivo delas é sobreviver e perpetuar a espécie. Para isso, são capazes das maiores proezas e se superam a cada instante. O detalhe é que as formigas não perseguem nenhum objetivo irrealizável. Elas não almejam nada que não possa ser atingido por sua capacidade. Portanto, você também não deve estabelecer metas inatingíveis. O que importa é ter uma referência para a caminhada. Não corra sem saber para onde vai! Planejar a vida pessoal e a carreira profissional lhe dará senso de direção e parâmetros claros para tomar decisões. Não acelere quando não tiver objetivos claros. Lembre-se do antigo ditado: "Não importa há quanto tempo você vive se não está fazendo nada com sua vida". Estabeleça, com a ajuda de Deus, objetivos para seus estudos, casamento, profissão, saúde, relacionamentos, lazer e formação de caráter.

Conselhos práticos para estabelecer objetivos
Crie um banco de dados. Procure reunir informações, sugestões e propostas para sua carreira. Esteja sempre atento aos anúncios de empregos e aos editais de concursos públicos. Leia revistas e outras publicações, assim como *sites* especializados em desempenho profissional e empreendedorismo. Não abra mão de cursos

e treinamentos profissionais. Muitos deles são gratuitos ou têm baixo custo. Use esse material para planejar sua carreira, estabelecendo objetivos.

Converse com pessoas de sua confiança. Discuta seus objetivos com um amigo ou colega de trabalho próximo, para que você tenha lucidez em suas decisões. A opinião de outra pessoa colabora na identificação de eventuais falhas.

Estabeleça metas específicas. É muito importante tomar cuidado para não se perder, atirando para todo lado. Generalistas, às vezes, podem até conseguir bons resultados, mas o melhor é focar em alvos mensuráveis. Quem age de forma atabalhoada gasta energia, perde tempo e desanima com a falta de resultados. Veja alguns exemplos da diferença entre ideias gerais e metas específicas:[2]

Ideia geral	Meta específica
Preciso tratar melhor minha equipe	Vou homenagear alguém toda segunda-feira na reunião da equipe
Gostaria de aprender um idioma	Vou estudar inglês uma hora por dia durante este ano
Preciso melhorar minha liderança	Vou ler um bom livro sobre liderança todos os meses

Estabeleça metas com prazos. A procrastinação é inimiga da realização. Se a formiga não trabalhar dentro do prazo de que dispõe, passará o inverno sem alimentos. Estipule um limite de tempo para o cumprimento de seus planos. E lembre-se: metas são sonhos com um prazo para realização.

Trace metas em curto, médio e longo prazos. Tudo na vida acontece em seu devido tempo. Portanto, há objetivos imediatos, outros de médio prazo e aqueles que só serão alcançados depois de muitos anos. Ter clareza quanto a isso é fundamental para atingir cada um deles.

Defina objetivos realizáveis. Seus objetivos precisam ser passíveis de execução. Na vida, há coisas impossíveis de realizar, e persegui-las obstinadamente é perda de tempo, energia e recursos. As formigas realizam façanhas, mas o fazem até onde sua realidade assim permite. A Bíblia diz: "Quem trabalha a sua terra terá fartura de alimento, mas quem vai atrás de fantasias não tem juízo" (Pv 12.11).

Estabeleça objetivos para cada tarefa. Definir previamente o objetivo de reuniões, estudos, projetos e até conversas ajuda a manter você no rumo certo.

Determine o grau de importância de seus objetivos. É interessante separar os objetivos essenciais dos secundários. Tanto estes como aqueles são importantes, mas devemos aprender a priorizar o que é realmente imprescindível.

Registre suas metas. Escrever metas e planos ajuda a clarear as ideias e favorece a organização. Seus objetivos se tornam mais reais à medida que você os põe no papel.

Trace uma estratégia para alcançar seus objetivos

Quando se tem um mapa do trajeto a ser seguido com vistas ao cumprimento de metas, é possível sempre verificar se as atividades profissionais estão alinhadas com tais objetivos. Afinal, de que adiantará você correr, se estiver no caminho errado? Existem provérbios bíblicos valiosos sobre a importância de se elaborar uma estratégia, como: "Veja bem por onde anda, e os seus passos serão seguros" (Pv 4.26); e "A sabedoria do homem prudente é discernir o seu caminho, mas a insensatez dos tolos é enganosa" (Pv 14.8).

Antes de iniciar um empreendimento ou lançar-se em uma tarefa, separe tempo para pensar. Aquiete o coração, ore e peça sabedoria a Deus. Dedique tempo e esforço à tarefa de planejar. Faça listas. Elas são importantes, pois:

- Ajudam a lembrar as coisas.
- Garantem o foco.
- São motivadoras.
- Auxiliam na definição de prioridades.
- Permitem que se visualizem as tarefas.
- Proporcionam alegria (quando você risca o que já foi feito).
- Organizam e esclarecem os pensamentos.
- Fazem você sair do genérico para o específico.[3]

Ao recorrer à figura do construtor da torre (cf. Lc 14.28-30), Jesus apontou que é natural calcular os custos de um projeto antes de tentar realizá-lo. Em geral, a boa estratégia não vem pronta; ela precisa ser elaborada com base em experiência, observação e metas que se pretende atingir. Analise prós e contras de tudo, avalie o tempo necessário para cada tarefa e calcule o dinheiro que será investido — em suma, aprenda a dimensionar desafios.

As palavras de Jesus eram sempre claras, diretas e demonstravam poder de decisão. Quando Jesus disse "Sei de onde vim e para onde vou" (Jo 8.14), deu exemplo de informações que devemos reconhecer de imediato em nossa vida; afinal são fundamentais quando se pretende alcançar um objetivo.

Primeiro, pense: "Onde estou?". Em seguida, antes de traçar o caminho a ser percorrido, responda: "Quão próximo do objetivo eu me encontro neste momento?". É claro que estabelecer um plano e gerenciar a carreira não significa rejeitar eventuais oportunidades. Pelo contrário, com um bom planejamento é possível identificar as chances que surgem pelo caminho. No início do século 20, Soichiro Honda era um modesto aprendiz de oficina em Tóquio, no Japão. Ao abrir um estabelecimento próprio de fabricação de peças em geral, chegou a pensar que aquele seria seu ramo de atividade até o fim da vida. Mas a proximidade da Segunda Guerra Mundial, da qual seu país foi um dos principais protagonistas, levou o jovem mecânico a perceber que haveria muita demanda por autopeças. Por isso, vendeu tudo o que tinha e começou a trabalhar com componentes para automóveis.

> É claro que estabelecer um plano e gerenciar a carreira não significa rejeitar eventuais oportunidades. Pelo contrário, com um bom planejamento é possível identificar as chances que surgem pelo caminho.

Os negócios não foram muito bem-sucedidos, porque suas peças eram consideradas de qualidade inferior. Honda não desistiu, nem mesmo depois de sua fábrica ter sido bombardeada no conflito e arrasada por um terremoto. No caos do pós-guerra, com os japoneses derrotados e o país em frangalhos, seu espírito empreendedor o levou a arrematar motores e máquinas, já sem uso, das forças armadas. Então, resolveu investir em transportes: com as linhas de trem ainda em reconstrução e os combustíveis em falta, acoplou um motor a uma bicicleta e criou uma motocicleta, meio de transporte que se tornou ideal nas ruas e estradas esburacadas. Com as primeiras quinhentas unidades vendidas, o empresário deu início à fundação da Honda Motor Company, que viria a se tornar um dos maiores conglomerados do gênero no mundo.

Conselhos práticos para traçar uma estratégia

Estabeleça prazos. Ao determinar o tempo de que dispõe para realizar cada tarefa, você pode avaliar melhor seu desempenho e tornar realista sua estratégia.

Considere os recursos humanos de que vai precisar. Engana-se quem pensa que basta calcular o dinheiro necessário ao cumprimento de seus objetivos. É preciso, também, determinar quantas e quais pessoas deverão atuar no sentido de alcançá-los.

Analise os problemas anteriores. Aprender com eventuais fracassos é muito importante para evitar que se repitam. O que deu errado nos projetos anteriores? Já se disse, com razão, que esquecer os erros do passado é condenar-se a repeti-los.

Escreva os detalhes. Registrar por escrito cada projeto, em detalhes, facilita a execução de cada etapa. Muitas batalhas e até mesmo guerras foram vencidas pela atenção aos detalhes.

Elimine o que não é essencial. Enxugue o plano, priorizando o que é primordial, e simplifique ao máximo sua execução.

Trace metas alternativas. Ter um plano B é sempre recomendável, pois é possível que ocorram situações inesperadas no meio da jornada. Além disso, o objetivo pode ser atingido — até mesmo com vantagens — por um caminho ainda não cogitado.

Ouça conselhos

A Bíblia é muito clara com relação à importância dos conselhos. Em Provérbios, há muitas referências ao valor desse importante recurso para o sucesso:

- "Os conselhos são importantes para quem quiser fazer planos, e quem sai à guerra precisa de orientação" (20.18).
- "Os planos fracassam por falta de conselho, mas são bem-sucedidos quando há muitos conselheiros" (15.22).
- "Sem diretrizes a nação cai; o que a salva é ter muitos conselheiros" (11.14).
- "O caminho do insensato parece-lhe justo, mas o sábio ouve os conselhos" (12.15).

Infelizmente, muitos desprezam os conselhos. Certo mendigo, que vivia pedindo dinheiro em um semáforo, ouviu de uma motorista: "Não peça; arrume um trabalho que possa fazer". Ele respondeu: "Minha senhora, estou pedindo esmolas, e não conselhos". Outras pessoas, por sua vez, são tão bem-sucedidas em alguma área da vida que pensam que já não precisam ouvir ninguém. Mas, se você quer ter sucesso na vida como um todo, precisa estar atento aos bons conselhos.

Quanto mais você aprender, ouvindo orientações de pessoas mais experientes, menos erros cometerá em sua jornada. Portanto, encontre bons conselheiros. As Escrituras afirmam: "Perfume e incenso trazem alegria ao coração; do conselho sincero do homem nasce uma bela amizade" (Pv 27.9). Portanto, ao longo da vida, procure estabelecer amizades saudáveis, sinceras. O bom amigo e conselheiro não é o bajulador, mas aquele que fala a verdade com amor. Melhores são os tapas da verdade do que os beijos da traição. Sempre tenha por perto alguém com quem você possa abrir seu coração, para quem possa contar suas dificuldades e a quem tenha liberdade de pedir orientação. A Bíblia registra diversas histórias de mestres e aprendizes: Josué seguiu os passos de Moisés; Eliseu foi discípulo de Elias; os apóstolos aprenderam com Jesus. Observe como Paulo descreveu Timóteo, seu jovem discípulo: "Meu verdadeiro filho na fé" (1Tm 1.2).

Conselhos práticos para aprender a ouvir
Encontre bons conselheiros. É claro que não é prudente ouvir qualquer um. É preciso selecionar os conselheiros. Não se sinta tentado

a seguir qualquer orientação. O bom mentor é aquele cuja trajetória testemunha sabedoria e equilíbrio. Além disso, convém avaliar os resultados que tal pessoa obteve em áreas essenciais da vida, como família, fé e carreira, pois é isso o que legitima o conselho recebido. Acima de tudo, é preciso poder confiar naquele que oferece um conselho.

Pare de falar e ouça. A Bíblia registra: "Meus amados irmãos, tenham isto em mente: Sejam todos prontos para ouvir, tardios para falar e tardios para irar-se" (Tg 1.19). O grande problema de muitas pessoas é que elas querem falar enquanto deveriam ouvir. A sabedoria dos antigos já dizia: "Temos dois ouvidos e só uma boca. Por isso, devemos ouvir mais do que falamos". Nunca passe longos períodos sem ouvir. Se você não ouve, não pensa. Um velho sábio disse, certa vez: "Quando eu estou falando, não estou aprendendo nada novo". O tempo gasto em ouvir é bem investido. Quanto mais você ouve, mais ideias tem. Na sociedade contemporânea, sobretudo a ocidental, temos a tendência de não valorizar o silêncio e de nos apressar a preenchê-lo com palavras. Valorize o silêncio!

Reflita sobre os bons conselhos e os acolha. Paulo escreveu: "Ponham à prova todas as coisas e fiquem com o que é bom" (1Ts 5.21). Processe as informações, avalie outros pontos de vista, peça orientação a Deus e acolha os conselhos que serão úteis para seu planejamento. "O inexperiente acredita em qualquer coisa, mas o homem prudente vê bem onde pisa" (Pv 14.15).

Consagre tudo a Deus

Nossos planos precisam ser dedicados a Deus. A Bíblia instrui: "Consagre ao SENHOR tudo o que você faz, e os seus planos serão bem-sucedidos" (Pv 16.3). Não podemos ser presunçosos ao elaborar um projeto. As Escrituras afirmam claramente que todas as coisas estão sob o controle divino. É muito importante termos em perspectiva que Deus pode corrigir nossos planos: "Ao homem pertencem os planos do coração, mas do SENHOR vem a resposta da língua" (Pv 16.1); "Em seu coração o homem planeja o seu caminho, mas o SENHOR determina os seus passos" (Pv 16.9);

"Muitos são os planos no coração do homem, mas o que prevalece é o propósito do Senhor" (Pv 19.21).

A Bíblia garante que Deus tem sempre o melhor plano para seus filhos. "Sabemos que Deus age em todas as coisas para o bem daqueles que o amam" (Rm 8.28). Desse modo, devemos confiar tudo a ele: "Entregue o seu caminho ao Senhor; confie nele, e ele agirá" (Sl 37.5). Escreva seus planos a lápis e entregue a borracha a Deus!

Buscar saber qual é a vontade do Senhor para nossa vida é condição importantíssima para o sucesso de nossos planos. Quão pretensiosos somos quando traçamos objetivos baseados exclusivamente em nossa própria capacidade. A Bíblia também fala sobre isso:

> Ouçam agora, vocês que dizem: "Hoje ou amanhã iremos para esta ou aquela cidade, passaremos um ano ali, faremos negócios e ganharemos dinheiro". Vocês nem sabem o que lhes acontecerá amanhã! Que é a sua vida? Vocês são como a neblina que aparece por um pouco de tempo e depois se dissipa. Ao invés disso, deveriam dizer: "Se o Senhor quiser, viveremos e faremos isto ou aquilo". Agora, porém, vocês se vangloriam das suas pretensões. Toda vanglória como essa é maligna. Pensem nisto, pois: Quem sabe que deve fazer o bem e não o faz, comete pecado.
>
> Tiago 4.13-17

Nesse texto, Tiago assevera que o ser humano é como uma neblina fugaz e, por isso, devemos ser humildes diante de Deus. Planejar a vida é importante, mas os planos devem sempre levar o Senhor em conta. Tiago fala de pessoas que mencionam seus próprios planos, mas não se referem à vontade divina. O apóstolo Paulo, um homem extremamente capacitado e dotado de muita fé, não se atreveu a fazer planos por si mesmo. Em várias passagens bíblicas, ele menciona a prevalência da vontade divina (cf. Rm 1.10; 1Co 4.19; Fp 2.19,24). O problema não são os planos que você traça; o problema são os planos sem Deus.

Lição 4

Formigas têm iniciativa

O ciclo de vida das formigas é bem estabelecido. Em média, elas têm uma existência curta se considerarmos os parâmetros humanos. Muitas espécies vivem apenas entre quarenta e sessenta dias, embora haja casos de rainhas que chegaram a mais de dez anos de vida. Portanto, o tempo de que dispõem para fazer qualquer coisa é sempre curto. Mas, diferentemente dos humanos, as formigas, à medida que avançam em direção à vida adulta, não precisam estudar, aprender uma profissão ou fazer cursos de capacitação. Tudo o que farão ao longo de sua existência já vem prescrito em sua natureza.

Uma das características instintivas da formiga — e, sem dúvida, uma de suas principais qualidades — é a iniciativa para o trabalho. Ao contrário dos seres humanos, as formigas não precisam de cartão de ponto, chefes ou feitores. Cumprir tarefas é, simplesmente, parte natural de sua vida. Preguiça e displicência não entram em seu dicionário. As formigas tampouco deixam para o dia seguinte a tarefa que tem de ser realizada hoje.

A Bíblia diz: "Não se gabe do dia de amanhã, pois você não sabe o que este ou aquele dia poderá trazer" (Pv 27.1). Para a execução de qualquer plano, é necessário ter iniciativa. Não podemos incorrer no péssimo hábito de adiar as coisas ou esperar alguém mandar que realizemos nossas tarefas. Na vida, não existe indicação de largada, como nas corridas; você precisa tão somente começar a agir, "carregando folhas", como as formigas. Não fique esperando alguém dar o tiro de partida; caso contrário, é muito provável que permaneça a vida toda na linha de largada.

O texto de Provérbios 6.7-8 diz que a formiga não tem chefe, nem supervisor, nem governante e, ainda assim, armazena suas provisões no verão. Assim como a iniciativa é essencial à sobrevivência desse inseto, ela é característica marcante de profissionais bem-sucedidos. É a proatividade que diferencia o trabalhador profissional e empreendedor, que chama a atenção e se destaca no mundo corporativo, daquele que apenas realiza suas tarefas ou que espera ser chamado pelos outros para fazer alguma coisa. Quem já não teve um colega que só fazia o que lhe era cobrado e nunca trazia ao ambiente de trabalho alguma ideia nova, outra maneira de realizar determinada tarefa? Todos conhecemos gente assim. E, provavelmente, a maioria de nós já estudou ou trabalhou com profissionais desse tipo.

> É a proatividade que diferencia o trabalhador profissional e empreendedor, que chama a atenção e se destaca no mundo corporativo, daquele que apenas realiza suas tarefas ou que espera ser chamado pelos outros para fazer alguma coisa.

Muitas pessoas adiam o início de novos projetos — como o ingresso em um curso de capacitação, mudanças nos relacionamentos familiares, o estabelecimento de um novo ponto de vendas ou, simplesmente, a saída da inércia — à espera do momento perfeito para começar. Ponha isso em sua mente: não existe o momento perfeito. Quanto mais você postergar suas iniciativas, mais dificuldades surgirão no caminho. Portanto, lute contra a procrastinação. O hábito de protelar tarefas é o caminho mais curto para o marasmo, a improdutividade e o fracasso. Quem fica apenas falando nunca faz nada. Diz o ditado: "O caminho chamado 'Amanhã' leva à cidade chamada 'Nunca'". Portanto, esteja certo de que os resultados futuros dependem não apenas de nossas escolhas e decisões, mas, também, das ações a que nos lançamos hoje.

O proativo e o preguiçoso

Os maiores empreendedores que conhecemos são aqueles que tomaram iniciativas e persistiram nelas até a consecução do objetivo. Filho de imigrantes judeus, o hoje milionário Silvio Santos começou do zero seu império no ramo de comunicações. Em 1944, aos 14 anos, Silvio decidiu que adquiriria sua independência. Começou vendendo bugigangas como camelô, no centro do Rio de Janeiro. Cheio de iniciativa, seu passo seguinte foi bem mais ousado: montou um serviço de alto-falantes nas barcas que fazem a travessia marítima entre o Rio e a cidade vizinha de Niterói ou a ilha de Paquetá. Entre uma música e outra, anunciava diversas mercadorias e promovia sorteios. Depois, passou a vender bebidas.

Já bastante simpático e falante, Silvio logo chamou a atenção de um empresário, que o convidou a transferir-se para São Paulo. Lá, o comunicador começou a apresentar espetáculos e sorteios. Em 1962, passaria à televisão. Ao mesmo tempo, o faro para negócios o levou a outra iniciativa, que o tornaria ainda mais famoso: a compra do Baú da Felicidade — sistema que vendia uma série de produtos mediante o pagamento regular de prestações — e fez dele um negócio de abrangência nacional, pelo qual o investidor, com pequenas parcelas mensais, podia ser sorteado para ganhar um caminhão de eletrodomésticos ou, simplesmente, receber em produtos, no fim do período, o valor poupado. Hoje, Silvio comanda o Sistema Brasileiro de Televisão, terceira maior emissora de TV aberta do país, além de uma série de outros negócios.

O caso de Silvio Santos não é um exemplo isolado, único, de gente com iniciativa e que "deu certo" na vida. Neste exato momento, milhares de pessoas estão começando projetos que, à frente, as conduzirão a uma vida mais abastecida de recursos, realizações, satisfação e significado. E todas essas pessoas têm um ponto em comum: arregaçaram as mangas e foram à luta. Já reparou que os preguiçosos, aqueles que nunca saem do lugar, são especialistas em inventar desculpas? O indivíduo proativo sempre encontra motivos para começar algo, para trabalhar e desenvolver seu potencial, enquanto o preguiçoso sempre tem uma desculpa para não fazer nada.

> Neste exato momento, milhares de pessoas estão começando projetos que, à frente, as conduzirão a uma vida mais abastecida de recursos, realizações, satisfação e significado. E todas essas pessoas têm um ponto em comum: arregaçaram as mangas e foram à luta.

Quem é bom em inventar justificativas raramente é eficiente em outra coisa. De novo, a Bíblia descreve com perfeição a atitude desse tipo de gente: "O preguiçoso diz: 'Há um leão lá fora!' 'Serei morto na rua!'" (Pv 22.13); "O preguiçoso diz: 'Lá está um leão no caminho, um leão feroz rugindo nas ruas!'" (Pv 26.13). Isto é, antes mesmo de se envolver em alguma atividade, o preguiçoso já tem uma desculpa para não começá-la. Por que não procura emprego? "Porque não vou conseguir mesmo…" Por que não estuda para passar no concurso público? "Ah, porque a concorrência é muito grande e eu não vou passar. E, se passar, não serei convocado". Por que não faz um curso para melhorar o currículo e aumentar sua empregabilidade? "Ah, já passei da idade". E, assim, a existência desse indivíduo é marcada por pura imobilidade. Como é triste a vida de um preguiçoso! É sem brilho, desbotada, acostumada à mediocridade. Para gente desse tipo, só resta chorar, porque não chegarão a lugar nenhum: "O preguiçoso não ara a terra na estação própria; mas na época da colheita procura, e não acha nada" (Pv 20.4).

Ter iniciativa não é tão complicado como pode parecer para alguns. Você não precisa de muito para desenvolver esse espírito empreendedor:

- Pense de forma criativa.
- Renuncie ao conformismo.
- Aproveite as oportunidades, por menores e mais insignificantes que lhe pareçam a princípio.
- Ignore as vozes contrárias e os pessimistas de plantão.
- Muna-se de bons conselheiros e de toda informação possível.

Formigas têm iniciativa 59

- Seja persistente.
- Construa uma autoimagem positiva.
- Desenvolva suas habilidades.
- Torne suas ideias mais interessantes.
- Desenvolva o espírito de liderança e a aptidão para o trabalho em equipe.
- Supere as expectativas.
- Ultrapasse os obstáculos.

Conselhos práticos para desenvolver a iniciativa

Elabore uma lista com atividades que você está postergando. Faça um levantamento daquelas coisas que você nunca fez, mas precisa ou quer fazer, ou das que começou e deixou pelo caminho.

Prometa uma recompensa a si mesmo. Um hábito que pode colaborar para reforçar a iniciativa é recompensar-se ao concluir uma tarefa. Como forma de motivação para o término de um trabalho, prometa a si mesmo uma recompensa, que pode ser bem simples, mas terá enorme significado, como fazer um passeio, tirar um dia para cuidar de você, passar um tempo ao ar livre, comprar um bom livro ou sair para jantar em um bom restaurante.

Sonhe grande e vá rápido. Urgência é uma marca do caráter das pessoas de sucesso.

Lição 5

Formigas adquirem recursos

As formigas têm grande capacidade e determinação para obter da natureza os recursos de que necessitam, pois é essa provisão que as sustentará nos tempos mais difíceis. Mas, primeiro, elas precisam adquirir tais recursos. Por isso, as formigas passam grande parte do tempo em busca de folhas, frutas e outros insetos. Em nossa casa, é comum vê-las pelos cantos da parede carregando migalhas de pão e grãos de açúcar. Elas recolhem tudo o que puder ser utilizado para gerar alimento, já que suas colônias têm milhares de indivíduos que precisam comer — a demanda é grande e a captação de recursos tem de acompanhá-la.

Alguns tipos de formigas não se contentam em coletar alimentos: são as chamadas "formigas agricultoras", como as do gênero *Acromyrmex*. Esses insetos já eram prodigiosos lavradores muito antes de o primeiro ser humano perceber que poderia economizar energia e obter melhores resultados se, em vez de sair para coletar alimento, fosse capaz de produzi-lo — em outras palavras, antes do nascimento da agricultura. Formigas desse tipo também são chamadas de "cortadeiras"; elas coletam folhas e outros elementos orgânicos, mas não os utilizam diretamente como comida. Após triturar esse material, depositam-no em câmaras especiais dentro dos formigueiros, onde a umidade favorece o surgimento de fungos. E são esses fungos e as enzimas por eles produzidas que constituem o alimento das formigas. É uma verdadeira fazenda em miniatura!

Outros tipos de formigas vão além: elas são como pastoras, pois cuidam de uma pequena miríade de insetos, geralmente pulgões. Elas não devoram os pulgões, mas alimentam-se de uma substância que eles produzem. Assim, constitui-se o que a biologia chama de relação de simbiose: as formigas protegem os frágeis pulgões dos predadores e, ao mesmo tempo, estimulam os primeiros a expelir a substância de que elas se alimentam.

Nos três casos — das formigas colhedeiras, agricultoras e pastoras —, é necessário muito trabalho e disciplina para alcançar o objetivo final, que é a sobrevivência de cada indivíduo e da colônia. Assim como esses insetos, os seres humanos precisam trabalhar das mais variadas maneiras para obter seu sustento. Alguns trabalham quase exclusivamente com as mãos; outros utilizam prioritariamente o cérebro, embora a maioria de nós usemos essas duas maravilhosas ferramentas. Desde a queda do gênero humano, no Éden, a ordem de Deus é clara: "Com o suor do seu rosto você comerá o seu pão" (Gn 3.19). Na verdade, trabalhamos para obter muito mais do que o simples sustento físico. Qual de nós não sonha em obter mais recursos para uma vida melhor? Ganhar dinheiro é o maior objetivo de muitos nesta vida.

> Na verdade, trabalhamos para obter muito mais do que o simples sustento físico. Qual de nós não sonha em obter mais recursos para uma vida melhor?

Com efeito, é da vontade do Senhor que trabalhemos para suprir nossas necessidades e ajudar os outros. E a maneira como trabalhamos e obtemos nossos recursos revela muito sobre nossa fé e nossa relação com Deus, já que tudo o que fazemos deve ser feito como se fosse para o Senhor, e não simplesmente para os homens, como escreveu o apóstolo Paulo: "Obedeçam a seus senhores terrenos com respeito e temor, com sinceridade de coração, como a Cristo. Obedeçam-lhes, não apenas para agradá-los quando eles os observam, mas como escravos de Cristo, fazendo de coração a vontade de Deus" (Ef 6.5-6). Um trabalho malfeito, realizado por um trabalhador preguiçoso ou irresponsável que se apresenta como cristão, constitui um péssimo testemunho perante aqueles que ainda não conhecem o Senhor.

Em Efésios 4.28, Paulo assim afirma: "O que furtava não furte mais; antes trabalhe, fazendo algo de útil com as mãos, para que tenha o que repartir com quem estiver em necessidade"; ou seja, há três maneiras de ganhar dinheiro. A primeira é roubando os outros. Está claro que esse é um meio ilegítimo, completamente condenado em toda a Bíblia, como claramente advertido nos Dez Mandamentos (cf. Êx 20.1-17). A segunda forma de ganhar dinheiro é trabalhando. Deus criou o homem para trabalhar; logo, enganam-se aqueles que pensam ser o trabalho uma maldição. Antes da queda, Deus colocou Adão no Éden e ordenou que ele cuidasse do jardim. O próprio Jesus, quando encarnado em nosso mundo, trabalhou como carpinteiro, ofício que aprendeu de seu pai. Há um ditado judeu que adverte explicitamente: "Aquele que não ensina seu filho a trabalhar o ensina a roubar". E a terceira forma de ganhar dinheiro é obtendo-o de presente; é o caso dos que recebem uma herança, ou ajuda financeira, por exemplo.

Muitos têm ideias equivocadas acerca do trato com os recursos financeiros. São conceitos errôneos, que confundem a mente e, por conseguinte, a atitude em relação às próprias finanças. Vejamos três deles:

Teologia da pobreza: falta de recursos tem a ver com espiritualidade elevada

Afirmar que a pobreza está em sintonia com a espiritualidade é uma ideia que surgiu ao longo da história do cristianismo como resultado de interpretações erradas do texto bíblico, bem como de preconceitos acerca daqueles que têm mais recursos. Muitos cristãos passaram a crer que ser rico é pecado. Mas o que o cristianismo condena é o amor pelo dinheiro: "Pois o amor ao dinheiro é a raiz de todos os males" (1Tm 6.10). Jesus ressalta que o trato com os bens materiais serve para mostrar como administramos as verdadeiras riquezas:

> "Quem é fiel no pouco, também é fiel no muito, e quem é desonesto no pouco, também é desonesto no muito. Assim, se vocês não forem

dignos de confiança em lidar com as riquezas deste mundo ímpio, quem lhes confiará as verdadeiras riquezas? E se vocês não forem dignos de confiança em relação ao que é dos outros, quem lhes dará o que é de vocês? Nenhum servo pode servir a dois senhores; pois odiará um e amará outro, ou se dedicará a um e desprezará outro. Vocês não podem servir a Deus e ao Dinheiro". Os fariseus, que amavam o dinheiro, ouviam tudo isso e zombavam de Jesus. Ele lhes disse: "Vocês são os que se justificam a si mesmos aos olhos dos homens, mas Deus conhece o coração de vocês. Aquilo que tem muito valor entre os homens é detestável aos olhos de Deus".

Lucas 16.10-15

O relato bíblico menciona muitas pessoas que detinham grandes recursos financeiros e amavam ao Senhor de todo o coração. Abraão, por exemplo, era conhecido, na região onde vivia, como um homem rico. José, que Deus pôs no governo do Egito, a mais rica nação de sua época, certamente enriqueceu. E o que dizer, então, de Salomão, cuja glória e opulência se tornaram lendárias no mundo antigo, e de Jó, que era "o homem mais rico do oriente" (Jó 1.3)? O próprio Jesus tinha, entre seus seguidores, pessoas de posses, que ajudavam financeiramente seu ministério. Lucas fala de mulheres que ajudavam a sustentar Jesus e os discípulos com seus bens (Lc 8.3). Portanto, é um erro achar que o dinheiro é, em si, um mal.

Materialismo: dinheiro traz felicidade

Paulo usa três argumentos para refutar o mito de que o dinheiro, por si só, traz felicidade (1Tm 6.7-10). O primeiro deles é que estamos destinados à eternidade, enquanto o dinheiro é um bem meramente temporal: "Nada trouxemos para este mundo e dele nada podemos levar" (v. 7). Em segundo lugar, não precisamos de riquezas para experimentar a felicidade. O apóstolo foi claro: "Tendo o que comer e com que vestir-nos, estejamos com isso satisfeitos" (v. 8). A carta aos Hebreus orienta: "Conservem-se livres do amor ao dinheiro e contentem-se com o que vocês têm, porque Deus mesmo disse: 'Nunca o deixarei, nunca o abandonarei'" (Hb 13.5). O terceiro ponto é que o desejo por riquezas pode nos aniquilar:

> Os que querem ficar ricos caem em tentação, em armadilhas e em muitos desejos descontrolados e nocivos, que levam os homens a mergulharem na ruína e na destruição, pois o amor ao dinheiro é a raiz de todos os males. Algumas pessoas, por cobiçarem o dinheiro, desviaram-se da fé e se atormentaram com muitos sofrimentos.
>
> 1Timóteo 6.9-10

O materialismo é uma visão completamente equivocada da vida. Conta-se que, certa vez, o grande empreendedor americano Henry Ford, fundador da montadora de veículos que leva seu nome, entrevistou um candidato a gerente de sua empresa. Ford perguntou ao rapaz: "Qual é sua visão para trabalhar aqui?", ao que o moço respondeu: "Ganhar dinheiro, é claro". Indignado, o empresário pegou uma nota de um dólar e colocou entre os olhos e os óculos do rapaz, dizendo: "Se sua visão é ter dinheiro, então você nunca mais verá a alegria da primavera, a beleza da família, o amor de Deus, a vida, o mundo, nem nada". No sermão intitulado "Materialismo", o pregador galês Martyn Lloyd-Jones afirmou: "A visão não cristã da vida faz de nós criaturas minúsculas, porque nos estima e nos julga por aquilo que possuímos, não considerando nada sobre nossa alma e o que nos liga a Deus. Ela nada sabe sobre essas coisas. É um insulto à natureza humana".[1]

Teologia da prosperidade: dinheiro como sinal da bênção de Deus

A teologia da prosperidade tem se tornado cada vez mais popular em diversos países. Em suma, ela diz que Deus certamente dará riquezas a quem tiver fé. Tal pensamento tem lotado igrejas e estádios, reunindo muita gente ávida não pelas bênçãos espirituais do Senhor, como a salvação, mas por vantagens materiais, como carros, imóveis ou altos salários.

Acontece que o dinheiro não é, necessariamente, sinal de que Deus está abençoando uma pessoa. Como já vimos, Jesus disse que é difícil um rico entrar no céu: "Digo-lhes a verdade: Dificilmente um rico entrará no Reino dos céus" (Mt 19.23). Os discípulos do Mestre e os apóstolos que tornaram o evangelho conhecido ao redor do mundo não foram ricos, mas, em sua maioria, homens simples e pobres. Além de nos advertir sobre o risco de depositarmos nossos esforços e desejos em acumular riqueza, Paulo foi categórico ao afirmar: "Sei o que é passar necessidade e sei o que é ter fartura. Aprendi o segredo de viver contente em toda e qualquer situação, seja bem alimentado, seja com fome, tendo muito, ou passando necessidade" (Fp 4.12).

* * *

Uma vez que tenhamos uma perspectiva equilibrada sobre o dinheiro, é possível prosseguir com outra questão: como podemos ganhar dinheiro de forma lícita e bíblica? Afinal, dinheiro não nasce em árvores. Não existem fórmulas mágicas. É preciso trabalhar com empenho, energia e competência! As formigas são um belo exemplo de competência "profissional". Elas não apenas trabalham, mas o fazem de forma eficiente, hábil, excelente. Suas tarefas são realizadas à risca, nunca ficam pela metade.

A Bíblia indaga: "Você já observou um homem habilidoso em seu trabalho? Será promovido ao serviço real; não trabalhará para gente obscura" (Pv 22.29). O texto se refere a homens habilidosos em seu trabalho, o que infere que há trabalhadores que não são habilidosos. O autor do provérbio respeitava os habilidosos e, ao que tudo indica, procurava cercar-se deles. Esses trabalhadores inspiram os outros. Perceba também o encanto do autor na frase: "Você já observou um homem habilidoso em seu trabalho?". Nenhuma pessoa razoável tem prazer em trabalhar para "gente obscura". Na sociedade meritocrática em que vivemos, em tempos de acirrada concorrência profissional, os trabalhadores menos qualificados têm poucas chances de ser bem-sucedidos. Ser um trabalhador complacente, acomodado, conformado, relaxado e preguiçoso é assinar um atestado de óbito profissional.

Por infelicidade, existem muitas pessoas indolentes. Os péssimos profissionais não precisam ser plantados; parece que eles brotam como ervas daninhas. Para uma pessoa ter chances de promoção profissional, ela precisa ampliar sua visão de mundo, capacitar-se e trabalhar com todo o esmero possível. Mova-se, atualize-se, não menospreze as pequenas oportunidades! Trabalhe para deixar um legado. Trabalhe com excelência e faça algo que vai permanecer depois que você se for. Não basta disposição; é preciso competência.

- Aprenda a priorizar despesas. Isso melhora sua relação com o dinheiro e ajuda até mesmo a economizar para realizar um sonho.
- Jamais compre por impulso.
- Evite surpresas com despesas sazonais ou periódicas, como o pagamento de certos impostos e os gastos em início do ano letivo e/ou fiscal.
- Mantenha uma reserva para evitar apuros quando surgir alguma despesa essencial e não programada — uma situação de desemprego, de doença ou queda repentina na renda.[1]

Economize pouco a pouco

Conta-se que certo homem muito bem-humorado, mas que enfrentava sérios apuros financeiros, disse, em tom de brincadeira: "Estou latindo no quintal para economizar cachorro e cantando minhas músicas favoritas para economizar rádio". Sem dúvida, economizar é uma atitude inteligente. Devemos fazer como José, administrador do Egito nos tempos bíblicos: economizar no período das vacas gordas, para ter condições de viver na época das magras.

Economizar é o oposto de estar endividado. De acordo com um dito do mercado, "economizar é prover para o amanhã, enquanto endividar-se é presumir sobre o amanhã". Quem economiza evita um gasto hoje para ter como aplicar melhor esse recurso amanhã. Os especialistas financeiros contemporâneos afirmam que é preciso ter economias para longo prazo (como a aposentadoria ou fundos de pensão) e economias para curto prazo (a fim de ter como cobrir gastos médicos no caso de uma doença, por exemplo).

Dar atenção à prática da economia é um princípio bíblico para as finanças. Quem economiza não entra em desespero quando surge uma emergência, nem perde o sono se vier a ficar desempregado — e ainda pode se permitir um presente de vez em quando, como uma viagem, um carro novo ou uma casa na praia.

Tome cuidado com dívidas e empréstimos

A Palavra de Deus ensina claramente: "Quem toma emprestado é escravo de quem empresta" (Pv 22.7). Em outra passagem, a Bíblia insiste: "Não devam nada a ninguém, a não ser o amor de uns pelos outros" (Rm 13.8). As dívidas e os empréstimos podem levar uma pessoa a experimentar ruína financeira completa e a ver seu nome sujo na praça. J. B. Carvalho afirmou: "Não é o seu nome que dá significado a você, mas é você quem dá significado ao seu nome".[2]

No caso de ruína financeira, há alguns pontos importantes que podem ser ressaltados. Primeiro, ore. Segundo, liste o que você tem, some todos os seus recursos. Terceiro, enumere o que você deve. Quarto, liquide primeiro todas as pequenas dívidas e considere o que você pode fazer para aumentar suas entradas financeiras. Quinto, jamais acumule dívidas novas. Sexto, mude radicalmente seu estilo de vida.

Conselhos práticos para combater as dívidas

- Não deixe outras contas se acumularem.
- Não contraia novas dívidas.
- Corte gastos: suspenda atividades como jantar fora, ter aulas particulares e frequentar salões de beleza. Cancele contratos de serviços não essenciais, como TV a cabo e Internet. Limite a ida a cinemas e teatros. Utilize telefone, água e energia elétrica de forma racional.
- Negocie suas dívidas, como aluguel, cartão de crédito e empréstimos pessoais. Para isso, leve em consideração alguns fatores importantes. Por exemplo: coloque-se no lugar da parte interessada em receber o que você deve; seja sincero e exponha sua situação financeira; mostre que você não é um "devedor profissional".

Não seja fiador de dívidas alheias

Existe um ensino bíblico específico quanto a isso: "Não seja como aqueles que, com um aperto de mãos, empenham-se com outros e se tornam fiadores de dívidas; se você não tem como pagá-las, por que correr o risco de perder até a cama em que dorme?" (Pv 22.26-27).

Hoje, muitos contratos de fiança incluem como garantia até mesmo imóveis residenciais. Por isso, não caia nessa cilada. Há outras formas de ajudar um parente ou amigo que necessita de fiança; não é nada sensato se comprometer com uma dívida que pode se tornar impagável.

Evite os investimentos de risco

A Bíblia estabelece: "Plante de manhã a sua semente, e mesmo ao entardecer não deixe as suas mãos ficarem à toa, pois você não sabe o que acontecerá, se esta ou aquela produzirá, ou se as duas serão igualmente boas" (Ec 11.6). Ou seja, há sementes (investimentos) que não prosperam. Por isso, se as riquezas de alguém se perderem em um mal negócio, "nada ficará para o filho que lhe nascer" (Ec 5.14).

É necessário muito cuidado com os investimentos de risco, caracterizados pelas seguintes condições: primeiro, você ouve a frase: "Esse negócio é praticamente garantido". Segundo, a decisão que você precisa tomar para fechar o negócio deve ocorrer de imediato, sem reflexão. Terceiro, as vantagens da transação lhe são prometidas sem que haja esforço de sua parte. Quarto, nesse tipo de negócio nunca se fala em prejuízo. Portanto, tome cuidado com tais investimentos.

Seja honesto em tudo o que fizer

A honestidade não deveria jamais ser considerada um mérito, mas, sim, uma obrigação, independentemente da fé professada pelo indivíduo que a pratica. Contudo, para quem crê nas Escrituras como a Palavra de Deus, os ensinos são claros:

- O Senhor detesta todo tipo de mentira e desonestidade (cf. Pv 20.23).
- Quem é ávido por lucros desonestos gera problemas (cf. Pv 20.17).

74 FORMIGAS

- A fortuna adquirida com a boca mentirosa é ilusão fugidia e mortal (cf. Pv 21.6).

Por outro lado, a honestidade é uma característica dos justos:

- "O homem justo leva uma vida íntegra; como são felizes os seus filhos!" (Pv 20.7).
- "A casa do justo contém grande tesouro, mas os rendimentos dos ímpios lhes trazem inquietação" (Pv 15.6).
- "Quem confia no SENHOR prosperará" (Pv 28.25).

Seja generoso com o que você tem

Muitos consideram que o ensino mais importante sobre administração financeira é a generosidade. A Bíblia valoriza bastante essa virtude:

- "Há quem dê generosamente, e vê aumentar suas riquezas; outros retêm o que deveriam dar, e caem na pobreza. O generoso prosperará; quem dá alívio aos outros, alívio receberá" (Pv 11.24-25).
- "Quem trata bem os pobres empresta ao SENHOR, e ele o recompensará" (Pv 19.17).
- "Quem é generoso será abençoado, pois reparte o seu pão com o pobre" (Pv 22.9).
- "Se alguém tiver recursos materiais e, vendo seu irmão em necessidade, não se compadecer dele, como pode permanecer nele o amor de Deus?" (1Jo 3.17).
- "Reparte o que você tem com sete, até mesmo com oito, pois você não sabe que desgraça poderá cair sobre a terra" (Ec 11.2).

Combata a cultura do desperdício

Entre as formigas, não existe desperdício ou irresponsabilidade no uso dos recursos. Elas administram suas provisões com sabedoria. Ao contrário delas, vivemos em um mundo marcado pelo desperdício e regido pelo consumo. Comprar é uma das atividades favoritas do homem moderno. Há pessoas que, quanto mais insatisfeitas, frustradas ou entediadas estão, mais acumulam prazeres imediatos, na forma de um par de sapatos, um *smartphone* de última geração, um carro... O consumo se tornou um paliativo para os desejos frustrados de milhares de homens e mulheres de nossos dias, que vão às compras a fim de esquecer os problemas.

Os seres humanos estão constantemente em busca de prazer. Não há problema nisso, pois foi Deus quem criou o prazer para o homem. A questão é que, no mundo hedonista em que vivemos, experimentar a todo custo o prazer das coisas transitórias se tornou o objetivo maior de muitas pessoas. O indivíduo pós-moderno está sempre à procura de se satisfazer. A juventude, em especial, em grande parte dá as costas para a realidade da morte. As pessoas hoje buscam se alienar das verdades eternas afirmadas pela fé cristã e imergem de forma irrestrita no prazer, sem pensar nas consequências de suas atitudes.

> Os seres humanos estão constantemente em busca de prazer. Não há problema nisso, pois foi Deus quem criou o prazer para o homem. A questão é que, no mundo hedonista em que vivemos, experimentar a todo custo o prazer das coisas transitórias se tornou o objetivo maior de muitas pessoas.

O hedonismo é a corrente filosófica que afirma que a vida deve ser regida pelo princípio do prazer, conceito esse que abre as portas do coração humano para outros valores que têm ditado as regras no século 21, como a erotização irresponsável e o consumismo. Com a erotização, as pessoas passam a ser vistas apenas por seu valor sexual. Já o consumismo é a promessa de felicidade e prazer baseada na aquisição desenfreada e no acúmulo de bens materiais.

O consumismo está relacionado com a imagem. No início da década de 1990, um campeão do tênis, o americano Andre Agassi, fez um comercial de televisão para um fabricante de máquinas fotográficas. A peça publicitária trazia a seguinte mensagem: "Imagem é tudo". Esse *slogan* captou muito bem os valores maquiavélicos da sociedade: o que importa não é quem você é, mas quem os outros pensam que você é. Sempre queremos mais, inclusive aparentar mais. Mas de que adianta morrer conhecido de todos e desconhecido de si mesmo?

Aprenda a estar satisfeito

Quem não toma consciência de todos esses processos mentais e emocionais que a sociedade de consumo promove corre o risco de se afundar em dívidas. É preciso libertar-se do consumismo. Aprenda a dizer "não" a falsas necessidades e a compras supérfluas: você terá vencido uma pequena batalha contra si mesmo e ainda se verá livre de inúmeros problemas.

Em nossa sociedade, as pessoas reclamam continuamente, alegando que são vítimas das circunstâncias. Reclama-se da condição genética, da família, do sobrenome, do governo, do time de futebol, do clima, da violência das ruas, do transporte público, da religião… Há gente com "síndrome de vítima", indivíduos que culpam tudo e todos por seus problemas. "Metade da vida é estragada pelos pais; a outra metade, pelos filhos", dizem os pessimistas ranzinzas.

Peça ajuda a Deus para anular sentimentos de ira. A insatisfação e o estresse causam danos terríveis: violência doméstica, agressões verbais, famílias problemáticas, danos à reputação, problemas legais, perdas financeiras, vingança, ressentimento, atitudes irracionais, dificuldade de reconciliação, falta de alegria. A pessoa insatisfeita tende a se tornar desagradável, praguejando, fazendo-se de vítima, constrangendo pessoas e envenenando o ambiente em que vivem. Precisamos resistir às seduções da sociedade de consumo e à adoração ao dinheiro: nossa satisfação precisa estar no Senhor. Deus é nossa alegria!

Conselhos para combater o consumismo e o desperdício

- Evite passear em *shopping centers* ou locais com grande concentração de lojas. Tente ficar longe, inclusive dos *sites* de compra.

- Pense de forma objetiva quanto à utilidade de todos os presentes que você costuma dar. Provavelmente, eles não fazem muita diferença para as pessoas que os recebem, mas, no fim do mês, é certo que você sentirá o bolso pesar.
- Estabeleça datas e momentos para comprar ou presentear.
- Reduza o número de cartões de crédito. Certamente, um cartão é mais do que suficiente para as possibilidades de gasto de quem quer que seja.
- Ao sair para compras essenciais, faça uma lista e se atenha às aquisições que realmente precisa fazer. Assim, você se defende dos estímulos visuais e de todo tipo de apelo lançado pelos estabelecimentos comerciais.

Lição 7

Formigas trabalham em equipe

Um formigueiro é uma verdadeira metrópole de formigas. Ali dentro, convivem, em harmonia e colaboração, milhares de insetos; não poucas vezes, milhões. Já se descobriu um formigueiro gigantesco que, até onde se tem notícia, é o único caso comprovado de colônia biológica internacional. Ele simplesmente se estendia ao longo de seis mil quilômetros pelo território europeu, de Portugal até a Itália, com milhares de câmaras, milhões de quilômetros em túneis e incontáveis habitantes. Sejam grandes ou pequenos, os formigueiros têm em comum a complexidade e a engenhosidade.

Dentro de uma colônia, existem compartimentos com funções específicas. Há "despensas" para armazenamento de comida, "berçários" para larvas e "salões" onde as rainhas põem seus ovos ininterruptamente. E, para manter em plena ordem essa complexa sociedade, cada formiga tem função, características e tempo de vida próprios. Em geral, as operárias, as quais compõem o que se considera a "casta" mais inferior, podem viver alguns meses, com determinadas espécies chegando a até três anos. As rainhas, por sua vez, vivem muito mais. A maior longevidade foi registrada na espécie *Pogonomyrmex owyheei*, que pode atingir trinta anos, um espanto em se tratando de insetos.

O mais interessante, porém, é que indivíduos tão diferentes em estrutura, funções e características consigam trabalhar em equipe. Um formigueiro é como uma empresa próspera e bem azeitada, em que cada integrante conhece sua função e sabe que todo o sistema depende de sua eficiência. Elas não competem, mas cooperam umas com as outras. Há uma sinergia contínua entre os habitantes da colônia. Esse "espírito de colaboração" é algo constante no formigueiro, pois cada um sabe que seu sucesso — assim como sua própria vida — depende do outro. Assim como sempre acontece nos formigueiros e no mundo corporativo, trabalhar em equipe é um assunto-chave na Bíblia. Percebe-se em Atos dos Apóstolos a grande capacidade da Igreja primitiva de formar e coordenar equipes de trabalho. Os companheiros de Paulo, por exemplo, aparecem em quase todas as suas cartas. Parece que o apóstolo estava sempre comandando times missionários. Vemos que ele "enviou à Macedônia dois dos seus auxiliares, Timóteo e Erasto, e permaneceu mais um pouco na província da Ásia" (At 19.22). Paulo viajava, mas não se desligava; ele "continuava na liderança e na coordenação geral das comunidades entre os pagãos, como lhe foi pedido no concílio de Jerusalém. Mantinha contato constante com as comunidades por ele fundadas e com a Igreja como um todo".[1]

> Um formigueiro é como uma empresa próspera e bem azeitada, em que cada integrante conhece sua função e sabe que todo o sistema depende de sua eficiência. Elas não competem, mas cooperam umas com as outras. Há uma sinergia contínua entre os habitantes da colônia.

Mesmo durante as viagens, Paulo exerceu diferentes funções: junto com Barnabé, atuou no concílio de Jerusalém como delegado dos cristãos convertidos do paganismo (cf. At 15.2) e delegado oficial do concílio perante as comunidades cristãs do mundo gentio (cf. At 15.22,25). Ao lado do mesmo companheiro, o apóstolo também ficou responsável pela evangelização dos pagãos (cf. Gl 2.7-9). Além disso, foi o organizador e portador da grande coleta, feita nas comunidades cristãs gentias, em benefício dos pobres de Jerusalém. Paulo afirmou que se enfraquecia diante da fraqueza de outros (cf. 2Co 11.28-29).

"Juntos, somos mais fortes"; "A união faz a força"... São muitos os ditados que se referem à potencialização das possibilidades de sucesso quando se faz algo em unidade com alguém. Infelizmente, uma quantidade enorme de pessoas jamais consegue bons resultados em seu trabalho por se indispor, o tempo todo, com o colega ou o superior. A desunião prejudica todas as instâncias da vida, do casamento ao trabalho. Quem age assim se esquece de que são os esforços conjuntos que conduzem às grandes vitórias. O triunfo dos países aliados na Segunda Guerra Mundial sobre as forças totalitárias do nazifascismo só foi possível graças a uma notável união de esforços entre nações muito diferentes sob o ponto de vista social, cultural, econômico e político. Britânicos, franceses, soviéticos, norte-americanos, australianos, indianos, africanos e brasileiros uniram forças para vencer a ameaça comum.

A habilidade de trabalhar em equipe é essencial. E há algumas condições para que o trabalho conjunto seja não só viável, mas, também, mais efetivo, como veremos adiante.

O trabalho em equipe e a humildade

Se existe algo claro no evangelho de Jesus é a importância da humildade. O cristão não deve se achar melhor do que ninguém. Na verdade, o maior é o menor (cf. Mt 20.26-28). Nosso Senhor deu o exemplo: "O Filho do homem [...] não veio para ser servido, mas para servir e dar a sua vida em resgate por muitos" (Mt 20.28). Como disse o teólogo Richard Foster, nossa carne "choraminga contra o serviço; porém, contra o serviço feito no anonimato, ela apronta uma gritaria".[2] Devemos, então, crucificá-la. Portanto, não se sinta subestimado por desempenhar tarefas aparentemente simples.

Em geral, serviços assim são realizados no anonimato e não impulsionam a visibilidade de ninguém. O senhor mencionado por Jesus na parábola dos talentos foi bem direto: "Você foi fiel no pouco, eu o porei sobre o muito" (Mt 25.21). Charles Spurgeon afirmou:

> Trigos muito bons crescem em pequenos campos. Pode-se cozinhar em panelas pequenas tão bem quanto em panelas grandes. Pequenos pombos podem transportar grandes mensagens; até um cachorrinho

O trabalho em equipe e a verdade

Vivemos na cultura da mentira. "Todo mundo mente", repete quase como um mantra o doutor House, personagem da série de televisão de mesmo nome. A sociedade está habituada a mentir. Pessoas mentem automaticamente para manter as aparências, obter vantagens, sair de situações constrangedoras ou perigosas... Ou seja, pelas razões mais variadas.

Vivemos uma crise de verdade sem precedentes e muitos chegam a louvar a mentira. Mas não há como desenvolver um relacionamento saudável em uma equipe que abriga mentiras. Verdade e honestidade são basilares para o trabalho conjunto. Da mesma forma, não vale a pena construir relacionamentos baseados em inverdades.

> Não há como desenvolver um relacionamento saudável em uma equipe que abriga mentiras.

No famoso Sermão do Monte (cf. Mt 5—7), Jesus alertou sobre o uso correto das palavras: "Seja o seu 'sim', 'sim', e o seu 'não', 'não'; o que passar disso vem do Maligno" (Mt 5.37). Aprendemos aqui pelo menos duas lições práticas: a primeira, que nossas palavras precisam ter credibilidade; e a segunda, que elas não podem ser dúbias. Tudo isso mostra que precisamos ser íntegros no caráter e no que dizemos. No dia a dia, tanto na vida espiritual quanto na familiar ou na profissional, devemos assumir o que fizemos e cumprir o que prometemos. Se você diz: "Vou orar por você", então ore! Se afirmou que pagaria uma dívida no dia seguinte, pague. Caso tenha assumido alguma tarefa, cumpra-a.

Você tem credibilidade? Ou desgasta a confiança das pessoas? Será que minou a confiança de alguém? Abandone a falsidade e a mentira, mesmo que, aparentemente, seja sobre algo sem importância. Afinal, uma meia verdade é uma mentira inteira!

O trabalho em equipe e a inveja

Dentre os sete pecados considerados capitais pela Igreja Católica, a inveja é, talvez, o único que não proporciona nenhuma forma de prazer. Umberto Galimberti, professor de Filosofia da História na Universidade de Veneza, afirma, em sua obra *Os vícios capitais e os novos vícios*, que a inveja tem raízes na necessidade de reconhecimento. Quando este nos falta, nossa identidade se torna mais incerta, empalidece, atrofia; e, então, penetra a inveja, que desejaria conceder, a quem é incapaz de se valorizar, uma salvaguarda de si na demolição do outro.

O comportamento do invejoso é duramente condenado nas Escrituras: "A inveja apodrece os ossos" (Pv 14.30); "Se vocês abrigam no coração inveja amarga e ambição egoísta, não se gloriem disso" (Tg 3.14). A solução para a inveja é um coração cheio de paz. A pessoa correta não deve apenas chorar com os que choram, como recomendam as Escrituras, mas também alegrar-se com os que estão alegres (cf. Rm 12.15).

Trabalho em equipe e foco

Uma interessante reportagem da BBC revelou o que cientistas israelenses descobriram acerca da cooperação entre as formigas para carregar grandes pedaços de comida aos formigueiros.

> Um grande grupo de formigas fica encarregado de levantar o peso — mas essas formigas não têm direção. Por isso, um pequeno grupo de "guias" intervém e conduz o grupo por curtos períodos. Aparentemente, as formigas têm um equilíbrio matematicamente perfeito entre individualidade e conformismo, segundo os pesquisadores. A descoberta foi feita por meio da análise de vídeos de formigas carregando pedaços de alimento de grande dimensão, entre eles flocos de cereais matinais. Publicado na revista científica *Nature Communications*, o estudo usou uma espécie muito comum do animal conhecida como "formiga louca". O nome faz referência ao jeito como essas pequenas criaturas correm, frequentemente mudando

de direção de forma aleatória. Mas as novas descobertas indicam que o nível de aleatoriedade no comportamento dessas formigas é muito bem afinado. "O grupo é afinado para responder às formigas líderes", disse o autor sênior do estudo, Ofer Feinerman, um físico do Weizmann Institute of Science, em Rehovot. Ele disse que as formigas parecem ter a quantidade exata de "individualismo errático". Em cerca de 90% do tempo, elas "seguem o fluxo", se movimentando na mesma direção que todos os outros; nos outros 10% dos casos o comportamento delas honra o nome. Isso significa que, ao todo, cada equipe de transporte das formigas trabalha junto e evita um cabo de guerra desnecessário. Mas, crucialmente, seu temperamento errático permite um grau de instabilidade — e isso, por sua vez, permite que uma única formiga com novas informações chegue e mude a direção. "Essa líder que chega não precisa se apresentar, nem precisa ser mais forte que o resto — ela só precisa empurrar na direção correta", disse Feinerman à BBC News.[4]

O estudo mostrou que quanto maior o objeto carregado, as formigas precisavam fazer maior esforço, privando-se mais expressivamente de sua liberdade individual. Quanto menor o objeto, maior a liberdade de cada uma. Essa é uma grande lição sobre trabalho em equipe! Quando os desafios são maiores, cada membro de uma equipe precisa sacrificar-se ainda mais. Esteja focado com sua equipe, esteja atento ao desafio. Unidos somos sempre mais fortes.

Conselhos práticos para líderes

Liderar equipes não é tarefa simples. Mas, ao mesmo tempo, é o desejo e o objetivo de muita gente, e uma meta perfeitamente legítima. Afinal, todo grupo, empresa, instituição ou Estado depende de quem exerce a liderança. Assim, um líder (ou grupo de líderes) pode levar seu conjunto de liderados aos melhores resultados ou conduzi-lo à ruína. Contudo, apesar de a liderança ser uma posição essencial, é preciso ter em mente que ser um bom líder é tarefa que exige capacidade, disciplina, paciência, diálogo, humildade, comprometimento e respeito com a equipe. É por isso que os bons e reconhecidos líderes são tão valorizados, seja no mercado, seja no mundo da política. Alguns conselhos que damos para líderes:

Elogie. Os elogios podem ser feitos de três maneiras diferentes: cite um aspecto positivo específico do desempenho de seu colaborador, mencione as qualidades pessoais desse colega, ou comente como ele favorece a realização dos objetivos globais da equipe.

Corrija com sabedoria. Faça a equipe se responsabilizar pelas tarefas. Chame a atenção do colaborador quando necessário, mas faça isso com sabedoria. Nunca exorte um membro da equipe sem antes contextualizar a bronca. Antes de exortar, elogie o colaborador e demonstre reconhecimento pelo trabalho dele. Em seguida, dê um exemplo recente bastante específico de algo que ele fez que tenha ajudado. Depois, reforce seu próprio compromisso com essa pessoa. Por fim, diga ao colaborador o que ele pode esperar de você. Depois dessas etapas de conversa, a correção fica bem contextualizada e não desorienta o membro da equipe.

Não aceite que a equipe levante falsas barreiras. É habitual que membros mais limitados da equipe criem barreiras às atividades e aos planos. Não aceite a limitação alheia. Uma das habilidades do líder é mostrar aos colaboradores que eles podem realizar mais do que imaginam. Portanto, busque a excelência e, depois, supere-a.

Conselhos práticos para realizar reuniões de trabalho produtivas

- Defina a agenda tão claramente quanto possível. Em vez de deixar os tópicos em aberto, especifique as questões que deverão ser resolvidas na reunião.
- Indique um tempo determinado para cada item da agenda.
- Limite a presença àqueles que podem contribuir com alguma coisa no assunto em discussão e que tenham autoridade para implementar decisões.
- Comece a reunião no horário marcado. Esperar pelos atrasados os encoraja a repetir o feito e irrita os que chegam no horário.
- Não permita que a reunião seja direcionada à discussão de assuntos que não estão na agenda.
- Certifique-se, após a reunião, que um registro das decisões tomadas seja preparado.[5]

Lição 8

Formigas administram o tempo com inteligência

Como já vimos, as formigas são excelentes administradoras do tempo: elas trabalham na hora certa e descansam no momento apropriado; armazenam no verão e desfrutam do fruto de seu trabalho no inverno. A inteligência no trato com o tempo é outra lição primordial para uma vida bem-sucedida em todas as áreas, mas, particularmente, na esfera profissional. Na sociedade moderna, muitos trabalhadores se parecem com o Coelho Branco, personagem do livro *Alice no país das maravilhas*, de Lewis Carroll: vivem correndo, olhando para o relógio e dizendo: "Estou atrasado! Estou atrasado!".

Tempo é um recurso-chave. Não importa a profissão ou a atividade exercida, todos nós temos um recurso em comum: o tempo. Ele é oferecido a cada ser humano na mesma quantidade, independentemente de origem, gênero, história pessoal ou classe social. Todos temos 60 minutos por hora, 24 horas por dia, 7 dias por semana... E enfrentamos o mesmo dilema, que é saber administrá-los. O especialista em gestão do tempo Patrick Forsyth afirma, sobre o gerenciamento desse recurso: "Justamente por ser difícil, existe a tentação de nem sequer tentar; e, apesar da verdadeira diferença que isso faz, a tendência é deixar que as coisas aconteçam e 'ir levando' como der".[1]

Aproveitar bem o tempo é algo vital que requer, antes de tudo, organização. Na prática, pessoas desorganizadas não conseguem localizar documentos e informações com facilidade e rapidez; marcam compromissos diversos para o mesmo dia e horário; estão sempre atrasadas ou mal preparadas para as reuniões; deixam a papelada se acumular; trabalham em meio à desordem. Desse modo, acabam duplicando os esforços desnecessariamente. Gente desorganizada precisa trabalhar duas, três, quatro vezes na mesma tarefa. Ao lado de profissionais competentes, quem é desorganizado tem má reputação e passa a ser considerado instável ou não confiável. A vida desorganizada também torna o convívio familiar conturbado, pois começa a faltar tempo para estar em família. Na vida pessoal, surgem desordens alimentares, e a saúde física e emocional é comprometida.

> Gente desorganizada precisa trabalhar duas, três, quatro vezes na mesma tarefa. Ao lado de profissionais competentes, quem é desorganizado tem má reputação e passa a ser considerado instável ou não confiável.

Quando somos crianças, o tempo rasteja; quando jovens, o tempo anda; quando adultos, o tempo voa; e, quando idosos, logo o tempo desaparece. Então, o momento para se fazer o que é necessário é *hoje*. A ciência pode aumentar a expectativa de vida, mas, ainda assim, todos nós morreremos um dia. Portanto, reconheça o valor do tempo.

Um grande problema do ser humano contemporâneo, cercado de distrações — televisão, Internet, *smartphone* e outros — não é a falta de tempo, mas, sim, a má administração desse recurso. Não podemos usar o tempo de forma impensada, desperdiçando-o. Afinal, quem mata tempo não é assassino; é suicida. Quem leva a sério a administração do tempo se torna mais eficiente. Ao realizar menos tarefas inúteis e se dedicar mais a trabalhos de real importância, você se desgasta menos e pode usar seu tempo e sua energia em atividades que tenham um impacto mais duradouro.

A Bíblia e o tempo

A Bíblia, com sua sabedoria milenar, apresenta princípios valiosos sobre a administração do tempo:

Liste suas prioridades

"Busquem, pois, em primeiro lugar o Reino de Deus e a sua justiça" (Mt 6.33). As Escrituras deixam claro que devemos ter prioridades na vida. É necessário buscar, primeiro, o que é essencial. Portanto, faça uma lista de suas prioridades e estabeleça com clareza seus objetivos de vida.

Não desperdice tempo com futilidades

A Bíblia fala de futilidades que roubam nosso tempo: "Evite as conversas inúteis e profanas, pois os que se dão a isso prosseguem cada vez mais para a impiedade" (2Tm 2.16); "Vocês foram redimidos da sua maneira vazia de viver" (1Pe 1.18); "Quem trabalha a sua terra terá fartura de alimento, mas quem vai atrás de fantasias não tem juízo" (Pv 12.11). Além de fazer uma lista de suas prioridades, enumere também todas as atividades improdutivas que lhe roubam tempo e seja radical em eliminá-las. Seja breve ao telefone, não gaste horas assistindo à televisão nem passe noites insones, na frente do computador.

Invista em atividades produtivas

O texto de Mateus 9.35-38 pode ser considerado um resumo do ministério terreno de Jesus. Fica claro que ele só investia em atividades produtivas: percorria as cidades ensinando nas sinagogas, pregando o evangelho e curando os enfermos. Da mesma maneira, devemos investir no que é produtivo. Devemos nos programar para ajudar pessoas, dedicar-nos aos estudos, orar, ler a Bíblia, estar com a família, colaborar com a igreja e com trabalhos humanitários e sociais. Em suma, devemos nos devotar a atividades úteis. A qualidade da vida não é medida por sua duração, mas pelo grau de comprometimento com que nos dispomos a viver.

Delegue

Muitos de nós ficamos assoberbados e tensos porque mantemos muitas coisas sob nosso domínio. É o que afirma o ditado segundo o qual é impossível envolver o mundo com os braços. Sendo assim, não se abstenha de delegar tarefas. Esse foi o ensino que Moisés aprendeu de seu sogro, Jetro. Moisés, que liderava o povo de Israel em sua longa e penosa jornada pelo deserto, estava exausto porque todos os problemas — das grandes questões às brigas entre vizinhos — eram levados à sua arbitragem. Jetro, então, ensinou Moisés a delegar tarefas (Êx 18.17-23).

Não conte com o dia de amanhã

"Não deixe para amanhã o que pode fazer hoje." Qual de nós nunca ouviu isso? Como já dissemos, o caminho chamado "Amanhã" conduz à cidade chamada "Nunca". O sábio das Escrituras já ensinava: "Não se gabe do dia de amanhã, pois você não sabe o que este ou aquele dia poderá trazer" (Pv 27.1). Não adie as atividades que você pode resolver logo. Uma frase bem-humorada diz: "Viva cada dia como se fosse o último; um dia, você acerta".

Cultive a pontualidade

Um dos maiores defeitos dos brasileiros é a falta de pontualidade. Marcam-se compromissos para as 14 horas sabendo-se que as pessoas só chegarão por volta das 15h30. O atraso é parte de nossa cultura, e isso é péssimo sob todos os aspectos. Chegar depois do horário em uma reunião de trabalho sinaliza que você não dá muita importância ao que será tratado e não tem respeito pelos colegas. Pior, é uma demonstração de que você é um profissional desleixado. A Bíblia recomenda: "Nunca lhes falte o zelo" (Rm 12.11). Seja zeloso e pontual em suas atividades. Não viva chegando atrasado aos compromissos. Seja eficiente e conclua o que está sob sua responsabilidade.

Aproveite as oportunidades

A palavra "oportunidade" deriva do latim porto. A ideia é fazer uma associação entre eventuais possibilidades e a imagem de um navio que aproveita o vento favorável para voltar ao porto, à segurança. Há muitas chances ao longo da vida, mas as boas oportunidades são raras, e algumas aparecem uma única vez. Por isso, fique atento a elas. Não perca tempo! "Tenham cuidado com a maneira como vocês vivem; que não seja como insensatos, mas como sábios, aproveitando ao máximo cada oportunidade, porque os dias são maus" (Ef 5.15-16).

Outros conselhos práticos para administrar o tempo

Gaste tempo para economizar tempo. É suficiente dizer que, para administrar seu tempo, será necessário parar e refletir sobre sua rotina.

Relacione as atividades e reveja sua lista de tarefas. Analise tudo o que você faz ou tem de fazer e, depois, questione a utilidade e a urgência de cada tarefa. Pergunte a si mesmo como cada uma delas surgiu e de que maneira podem ajudá-lo a alcançar suas metas. Se as respostas forem duvidosas ou sem sentido, não hesite em eliminar tais atividades.

Estabeleça limites. Jesus disse: "Basta a cada dia o seu próprio mal" (Mt 6.34). Aprenda a estabelecer limites em todas as áreas da vida, inclusive em relação aos compromissos. Entenda a importância de dizer "não". Estabeleça limites para tudo: desde a quantidade de *e-mails* que você envia e as mensagens que veicula em suas redes sociais à quantidade de projetos profissionais nos quais está envolvido. Há quanto tempo você não dá uma boa faxina em sua mesa de trabalho, removendo as pilhas de papéis que se tornaram inúteis e os recados já desnecessários?

Dimensione o tempo. Cada tarefa, das mais simples às de maior complexidade, demandam certa quantidade de tempo em sua execução. Portanto, dimensionar esse período é fundamental. Estime, da maneira mais acurada e realista possível, quanto tempo você precisará para cada atividade.

Defina prioridades. Para não se perder em atividades absolutamente dispensáveis ou de menor importância, defina prioridades de maneira clara e honesta consigo mesmo. Lembre-se de que, acima de chefes, gestores ou líderes, você, mais do que ninguém, sabe o que é necessário realizar. Isso é fundamental, pois constitui um dos aspectos mais importantes para o bom gerenciamento do tempo.

Lição 9

Formigas concluem suas atividades em vez de adiá-las

Você já conviveu com aquele colega de trabalho que é muito falante, apresenta diversas ideias e projetos e parece ser muito ativo, mas, no fim das contas, não consegue terminar nada que inicia? É o sujeito cheio de iniciativa, mas sem nenhuma capacidade de levar a termo aquilo a que se propõe. Nem bem começa uma tarefa e logo tem sua atenção despertada para uma nova proposta mirabolante, algo que vai consumir sua energia e seu entusiasmo por mais alguns dias e semanas — para, depois, lá na frente, redundar em nada.

Como já vimos, essa não é uma característica das formigas. Elas sabem que, após cada primavera e verão, seguem-se o outono e o inverno, épocas em que fica mais difícil, ou mesmo impossível, obter alimento, dependendo da região do planeta em que vivem. Então, o tempo disponível para trabalhar e, principalmente, terminar o trabalho é breve. Proativas, elas não esperam os primeiros sinais de escassez, como a queda das folhas ou dos primeiros flocos de neve, para terminar suas tarefas. Ao contrário: agem o tempo todo, mesmo debaixo de sol e de chuva, pois sabem, de maneira instintiva, que o tempo é curto para estocar o alimento necessário a todo o formigueiro. Em uma colônia de formigas, a iniciativa é constante, e as tarefas são cumpridas, com toda a disciplina, até o fim. E não é preciso haver cronograma ou cobrança de prazos para que tudo seja feito no tempo certo.

A arte de manter o foco

Manter o foco é a ferramenta mais importante para quem quer ser eficiente naquilo que faz. Se você já tem objetivos definidos e sabe onde quer chegar, agora é necessário manter o foco. Na caminhada cristã, somos desafiados a "[manter] os olhos fitos em Jesus, autor e consumador da nossa fé" (Hb 12.2). O apóstolo Paulo mostrou ter seu foco muito bem estabelecido: "Esquecendo-me das coisas que ficaram para trás e avançando para as que estão adiante, prossigo para o alvo, a fim de ganhar o prêmio do chamado celestial de Deus em Cristo Jesus" (Fp 3.13-14).

Precisamos de foco na vida, seja ela a pessoal (em questões como saúde, administração do tempo, definição e cumprimento de metas), seja a familiar (relacionamentos), seja a profissional, seja a espiritual, seja qual for. O foco é o fator mais importante para se atingir uma meta. E, como todos temos várias dimensões em nossa existência, é preciso administrar o tempo para fazer tudo o que é preciso, com foco em cada tarefa, ou seja, com total atenção à atividade a que se dedica a cada momento.

> O foco é o fator mais importante para se atingir uma meta.

Se você desempenhou tarefas o dia todo, envolveu-se em várias atividades ao mesmo tempo, mas não concluiu nada, você simplesmente não trabalhou: apenas desperdiçou tempo e energia. Não confunda estar ocupado com ser produtivo, muito menos *agir* com *concluir*. Avalie suas tarefas e seus resultados. Esse é um exercício saudável, realizado por profissionais bem-sucedidos. Na obra *Vá direto ao assunto*, o consultor de gerenciamento e liderança Stuart Levine sintetiza: "Se você não cumpriu nenhuma tarefa que possa ser medida, então você não fez trabalho algum".

Alguns acham que manter o foco tem algo a ver com estar tenso, estressado, mas isso é exatamente o contrário do ideal. Manter o foco é aprender a estar envolvido e presente nas atividades que se decidiu empreender, aprender a dizer "não" àquilo que provoca desvio de rota e, em especial, aprender a repartir o tempo entre as diversas demandas.

Quando falamos em foco, é essencial termos em mente que algumas atividades são importantes para quem deseja o sucesso, por mais que possam parecer contraproducentes. O descanso semanal e os momentos de lazer, assim como o exercício físico, aumentam a produtividade. Se a pessoa aprender a dosar tais atividades, elas ajudarão a aumentar o efeito do foco.

O valor da rotina

Além do foco, uma rotina bem elaborada pode nos ajudar muito a concluir tarefas. A falta de procedimentos organizados na vida profissional faz muitas pessoas perderem energia desnecessariamente. Sem rotinas claras, perde-se tempo, e o sujeito fica sem fôlego para a conclusão de trabalhos. Para muitos, a palavra "rotina" se tornou sinônimo de "tédio". É comum ouvir pessoas murmurando da rotina. Contudo, a rotina compreendida e organizada corretamente pode ser uma grande aliada. Até mesmo aqueles que trabalham em áreas radicalmente ligadas à criatividade podem se beneficiar com rotinas bem estabelecidas. Austin Kleon, autor e palestrante especialista em criatividade, afirmou que a imagem romântica do gênio criativo como alguém sem regras está ultrapassada: "é para super-homens e pessoas que querem morrer cedo. O negócio é: precisa-se de muita energia para ser criativo. Você não vai ter essa energia se gastar em outras coisas".[1] Rotinas auxiliam na canalização da nossa energia!

As formigas não se queixam da rotina. Elas seguem o mesmo "roteiro", estabelecido desde tempos imemoriais. Também podemos nos valer de um bom roteiro! Especialistas em gestão do tempo afirmam a importância de uma rotina simples e consistente. Por exemplo, com uma rotina matutina bem planejada e cumprida, você poderá se preparar para seu dia e estabelecer metas, que devem envolver, além do trabalho e do estudo, a prática de atividades como a leitura, as ações criativas e qualquer outra coisa para a qual você não tem — ou alega não ter — tempo.

Confira estes conselhos: estabeleça três ou quatro atividades que você realizará regularmente todas as manhãs. Podem ser atividades das mais variadas, por exemplo: tomar café, assistir ao nascer do sol, fazer um exercício físico, tomar uma ducha, ler um livro, fazer uma caminhada, ler o jornal, escrever, revisar as tarefas do dia. Escolha apenas três ou quatro atividades; mais do que isso transformará sua manhã em uma correria e você acabará não tendo tempo para todas as tarefas — o que será mais um fator gerador de estresse. Teste sua nova rotina por alguns dias e vá ajustando o que for necessário. Depois, dê continuidade às suas atividades pessoais e profissionais costumeiras. Os especialistas em gestão do tempo sugerem que você só se dedique a essas ações depois de completar sua rotina matutina. Caso contrário, correrá o risco de ficar sem tempo para as outras atividades. Rotinas claras colaboram para a conclusão de tarefas.

Cuidado com a procrastinação

O profissional que conclui suas tarefas não se caracteriza apenas por ser capaz de manter o foco e seguir uma rotina bem estruturada; ele também se priva da procrastinação. Há pessoas que protelam, enrolam, enroscam e simplesmente não iniciam — ou não dão sequência — a determinada demanda profissional. Deixar decisões e tarefas para a última hora, ou postergar o início ou a conclusão de uma atividade, sob qualquer pretexto, é péssimo em todos os aspectos. Em primeiro lugar, porque quem age assim está sempre "correndo contra o tempo", sem controle sobre a própria agenda, e fica refém dos atrasos ou dos prazos estourados. Segundo, porque enrolar na realização das próprias tarefas, principalmente em se tratando de estudo ou trabalho, é algo extremamente improdutivo e leva, fatalmente, à ansiedade e ao estresse. Terceiro, o procrastinador passa aos outros uma péssima imagem.

Deixar decisões e tarefas para a última hora, ou postergar o início ou a conclusão de uma atividade, sob qualquer pretexto, é péssimo em todos os aspectos.

No mundo corporativo, isso costuma significar um "atestado de óbito" profissional, já que o trabalhador fica marcado pelo estigma dos atrasos e da preguiça. Caso consiga se manter no emprego, poucas vezes terá oportunidades de ascensão e, se acabar demitido, o mercado vai saber, de uma forma ou de outra, que se trata de alguém não confiável do ponto de vista da execução das tarefas. Por último, mas não menos importante, o resultado mais comum da procrastinação é a má qualidade da tarefa realizada. Pouca coisa presta se for concluída aos trancos e barrancos.

As formigas concluem suas tarefas no tempo certo, e a recompensa vem na forma do desfrute de suas provisões durante os períodos mais frios e na hibernação — geralmente no inverno (sobretudo nas regiões mais frias), quando esses insetos reduzem ao máximo suas funções vitais e consomem as reservas de energia acumuladas (quase sempre na forma de gordura corporal) nos meses anteriores.

Precisamos focar em resultados se quisermos uma vida pessoal, profissional, espiritual e comunitária bem-sucedida. Na vida, contudo, não existem escadas rolantes, nas quais basta colocar os pés e deixar-se subir. O que existe são penhascos. É necessário escalar, superar obstáculos, amadurecer.

Lição 10

Formigas desfrutam do descanso e dos resultados de seu trabalho

Precisamos aprender a desfrutar dos resultados do trabalho. O labor pode e deve ser gratificante, e devemos nos alegrar com ele. A mensagem de Jesus claramente revela que Deus quer que sejamos contentes; afinal, um dos frutos do Espírito é a alegria. Na vida profissional, precisamos pedir a Deus um coração santo, amoroso, alegre. Está escrito: "O coração bem disposto é remédio eficiente, mas o espírito oprimido resseca os ossos" (Pv 17.22).

Na ficção *Cidade da penumbra*, a autora Lolita Pille satiriza a busca desenfreada da sociedade consumista pela felicidade. A realização plena, no entanto, não é encontrada assim. A bem-aventurança não está em cartões de crédito, bens materiais ou cirurgias estéticas. A felicidade plena está em uma vida segundo os valores de Deus. Além disso, Jesus não defendeu nenhuma espécie de "tirania da felicidade". Pelo contrário, ele deixou claro que a felicidade plena, a bem-aventurança, é uma bênção e um caminho pelo qual se pode viver.

O cristão não tem motivo para levar uma vida pessimista. É certo que há ventos contrários em nossa caminhada, mas a bem-aventurança espiritual nos motiva a prosseguir. Portanto, leve a sério sua felicidade. Humilhe-se debaixo da poderosa mão de Deus. Seja quebrantado. Chore continuamente lágrimas espirituais. Seja manso, controlado pelo Espírito de Deus. Tenha fome e sede de justiça. Pratique a misericórdia. Mantenha-se puro. Busque a paz. Alegre-se em eventuais perseguições.

O valor do descanso

O trabalho também proporciona a possibilidade de desfrutar, em paz, o merecido descanso. Nenhum ser vivo consegue ficar muito tempo sem repousar. Ainda que determinadas criaturas não tirem exatamente uma noite de sono como nós, humanos, todo animal precisa descansar com alguma regularidade. Além dos períodos de sono e de vigília que se sucedem dia após dia, muitas espécies praticam a hibernação. Com as formigas, não é diferente. Embora haja muitas diferenças no comportamento entre as dezoito mil espécies conhecidas de formigas, o mecanismo é mais ou menos comum a todas. Quando chega a estação fria, elas se retiram para uma espécie de câmara de hibernação, normalmente mais profunda que a colônia, onde a temperatura fica mais alta e constante do que a do ambiente externo. Muitas vezes, mesmo sob neve e temperaturas abaixo de zero, essas câmaras se mantêm em cerca de dez graus Celsius, o suficiente para a sobrevivência desses insetos. As formigas, então, se amontoam em uma espécie de "bola", praticamente imóveis, à espera da primavera. Quando os primeiros raios de sol mais quentes começam a surgir lá fora, elas percebem, pelo aquecimento da câmara, que é hora de voltar à vida normal — ou seja, ao trabalho.

Mais uma vez, esses insetos excepcionais nos ensinam lições. Já vimos como eles podem nos servir como modelo de organização, trabalho e gestão de recursos. Além disso, também nos dão o exemplo de como é importante descansar periodicamente. O provérbio afirma que as formigas armazenam alimentos durante o verão e descansam no inverno. Hoje, é considerado normal, e até elogiável, as pessoas diminuírem o tempo de sono e os momentos de lazer a fim de conseguir mais algumas horas para trabalhar. Vivemos a época do "aberto 24 horas", expressão que sintetiza a paranoia da pressa e da urgência que move o mundo pós-moderno. Funcionários se submetem a horas extras estafantes, adiam as férias e cancelam as licenças, tudo para produzir mais, ganhar mais, garantir o emprego.

Não podemos, é claro, dar uma ênfase exagerada ao descanso: "Não ame o sono, senão você acabará ficando pobre; fique desperto, e terá alimento de sobra" (Pv 20.13). Tampouco devemos nos manter ociosos, negligenciando nossas responsabilidades e tarefas. Afinal, a preguiça é um comportamento humano muito criticado na Bíblia, e o texto sagrado enfatiza muito bem a aversão que as formigas têm por essa conduta.

O descanso é divino. Segundo o relato bíblico, Deus, após sua maravilhosa obra criadora, descansou (claro que sabemos que o "descanso" do Senhor é um antropomorfismo que traduz uma realidade espiritual, visto que o Criador jamais se cansa). Devemos valorizar o repouso na medida correta: dormir é uma necessidade humana elementar — tanto que passamos aproximadamente um terço da vida dormindo.

> Devemos valorizar o repouso na medida correta.

Adão aparece dormindo logo no capítulo 2 de Gênesis. Em certa ocasião, Jesus disse aos seus discípulos: "Venham comigo para um lugar deserto e descansem um pouco" (Mc 6.31). O pregador Charles Spurgeon, que lutou por anos contra a depressão, disse, em seu sermão *O sono peculiar dos santos*: "O sono é o melhor médico que eu conheço. O sono tem cicatrizado mais dores nos ossos que os mais eminentes médicos sobre a terra".

Dormir bem é um dom de Deus: "O SENHOR concede o sono àqueles a quem ele ama" (Sl 127.2). Além disso, a Bíblia afirma que Deus cuida de nós, e, por isso, podemos e devemos repousar em paz: "Eu me deito e durmo, e torno a acordar, porque é o SENHOR que me sustém" (Sl 3.5); "Em paz me deito e logo adormeço, pois só tu, SENHOR, me fazes viver em segurança" (Sl 4.8).

Neste início de século 21, a humanidade tem se deparado com novas patologias e crises provocadas pela tecnologia. Por exemplo, muitas pessoas sofrem da "síndrome da vibração fantasma", ou seja, volta e meia têm a impressão de que seu telefone celular está tocando no bolso ou na bolsa, quando, na verdade, ele não está. O indivíduo jura que sentiu o aparelho vibrar, mas não houve vibração nenhuma. Existe o "vício em portáteis": o indivíduo não larga o *smartphone* ou o *tablet*, e fica atualizando o *e-mail* e as mídias sociais de segundo em segundo. Esses viciados vivem uma ansiedade eterna. Existem muitos casos de lesão por esforço repetitivo em pessoas que enviam SMSs e digitam o dia todo. Muita gente está até mesmo perdendo a acuidade visual, tamanha é a exposição à tela do computador, do celular ou do *notebook*.

Uma boa noite de sono é fonte de saúde sistêmica para o organismo. O descanso de boa qualidade melhora a percepção, aguça a memória, desenvolve a capacidade de raciocínio, regula a pressão arterial, previne enfermidades cardiovasculares e metabólicas, relaxa a mente, promove o bem-estar muscular e melhora o humor e o desempenho geral. Mas, com a realidade da vida moderna, nem todos conseguem dormir e repousar o suficiente. Os especialistas têm feito de tudo para combater a insônia, que já pode ser considerada um mal de nosso tempo. Veja algumas sugestões para você ter uma boa noite de sono:

- Siga horários regulares para dormir e despertar.
- Vá para a cama somente na hora de dormir.
- Faça de seu quarto um ambiente saudável.
- Não use álcool.
- Não dispense a orientação médica caso deseje usar medicamentos para dormir.
- Não exagere em café, chá e refrigerantes.
- Pratique atividade física em horários adequados, e nunca próximo à hora de dormir.
- Jante moderadamente, com alimentos leves e em horário regular e apropriado.
- Não leve os problemas para a cama.
- Após o jantar, dê vazão a atividades repousantes.[1]

Abençoando outras pessoas com seu trabalho

Não devemos ser egoístas ao desfrutar do produto de nosso trabalho. Precisamos aprender a compartilhar o resultado de nossos triunfos com os sofridos, os doentes, os aflitos; em outras palavras, devemos ser misericordiosos.

A palavra "misericórdia" significa lançar o coração na miséria do outro. É chorar com quem chora e se alegrar com quem se alegra. A Bíblia afirma que Deus é cheio de misericórdia (1Rs 3.6; Sl 86.5; Lc 1.78; 1Pe 1.3), o que deve nos inspirar a seguir seu exemplo. O teólogo Russell Shedd aponta essa necessidade: "Deus é um Deus misericordioso, e exige que as suas criaturas, criadas à sua imagem, também sejam misericordiosas".[2] Praticar a misericórdia é um dever, tanto no Antigo quanto no Novo Testamentos.

> A Bíblia afirma que Deus é cheio de misericórdia, o que deve nos inspirar a seguir seu exemplo.

No Antigo Testamento, por exemplo, está escrito: "Ele mostrou a você, ó homem, o que é bom e o que o SENHOR exige: pratique a justiça, ame a fidelidade e ande humildemente com o seu Deus" (Mq 6.8). No Novo Testamento, Paulo diz: "Compartilhem o que vocês têm com os santos em suas necessidades" e, ainda: "Se o seu inimigo tiver fome, dê-lhe de comer; se tiver sede, dê-lhe de beber. Fazendo isso, você amontoará brasas vivas sobre a cabeça dele" (Rm 12.13,20). Paulo também afirmou que devemos trabalhar, "fazendo algo de útil com as mãos, para que tenha o que repartir com quem estiver em necessidade" (Ef 4.28). O apóstolo João também reforça a importância de compartilhar o fruto do nosso trabalho com quem necessita: "Se alguém tiver recursos materiais e, vendo seu irmão em necessidade, não se compadecer dele, como pode permanecer nele o amor de Deus?" (1Jo 3.17). O amor em ação jorra de uma situação dupla: primeiro, ver um irmão em necessidade e, segundo, ter os meios para satisfazer essa necessidade. Se não relacionarmos o que temos com o que vemos, não podemos afirmar que o amor de Deus habita em nós.

A prática da misericórdia é um sinal do novo nascimento e uma prova de que o caráter de Cristo está se desenvolvendo em nós. Isso também é explicitado, por exemplo, no início do Sermão do Monte, quando Jesus ensina sobre o caráter de um verdadeiro discípulo e afirma: "Bem-aventurados os misericordiosos, pois obterão misericórdia" (Mt 5.7). Que sejamos todos bem-aventurados, praticando diariamente a caridade — fruto de um coração misericordioso.

Conclusão

Formigueiros são centros de excelência em "formação de profissionais". Podemos extrair grandes lições sobre o trabalho dessas microexecutivas que são as formigas. A Bíblia orienta aos preguiçosos: *Observe a formiga!* Todos precisamos observar esse pequeno inseto e aprender com ele. Como somos bombardeados por muitas informações problemáticas transmitidas pela mídia, ficamos distraídos e desnorteados na era da hiperinformação; por isso, é necessário aquietar um pouco o espírito, observar mais as coisas e ter um coração aberto a aprender.

O biólogo Edward O. Wilson, professor da Universidade Harvard, escreveu, na obra *Cartas a um jovem cientista*, algo muito interessante: para o pesquisador iniciante, a matemática pode ser "tanto uma ferramenta fundamental quanto uma potencial barreira" para a vida.[1] Podemos dizer o mesmo acerca do trabalho para o ser humano: a experiência profissional pode ser tanto uma ferramenta fundamental quanto uma potencial barreira para a vida. O trabalho pode ser encarado e desfrutado como uma dádiva de Deus, o que realmente é, ou compreendido como um tormento. Na prática, todos precisamos trabalhar se quisermos comer. A Bíblia diz: "O apetite do trabalhador o obriga a trabalhar; a sua fome o impulsiona" (Pv 16.26). Mas será que precisamos labutar de modo infeliz, triste, oprimido, enfadonho? Será que devemos ser profissionais cansados e cansativos?

> Na prática, todos precisamos trabalhar se quisermos comer. [...] Mas será que precisamos labutar de modo infeliz, triste, oprimido, enfadonho? Será que devemos ser profissionais cansados e cansativos?

Muitas pessoas percebem suas rotinas profissionais como um mal necessário. Ou seja, o emprego é entendido como algo a ser tolerado — tão somente porque resulta em recursos financeiros —, e não como uma vocação humana. Não é por acaso que o número de aposentadorias por invalidez decorrentes de depressão e outras síndromes psicológicas aumenta a cada ano. O domingo tornou-se um dia para recuperar o tempo perdido: atualmente, na vida de muitos, as atividades pessoais, familiares e domésticas ficam para o fim de semana. Isso faz do sábado e do domingo o período para pôr as tarefas em dia: aparar a grama, fazer compras, pagar contas, realizar reparos na casa e dormir. Muitos, por sua vez, "emendam", trabalhando sem parar. Uma vida assim realmente não faz sentido, mas nem isso se questiona mais.

Vivemos em uma época de questionamentos rasos: "Crédito ou débito?". Precisamos, então, aprofundar nossa reflexão. Tanto as formigas quanto os seres humanos vivem por um tempo nesta terra e depois morrem. Isso nos leva a refletir: o que é a vida?

> Ouçam agora, vocês que dizem: "Hoje ou amanhã iremos para esta ou aquela cidade, passaremos um ano ali, faremos negócios e ganharemos dinheiro". Vocês nem sabem o que lhes acontecerá amanhã! Que é a sua vida? Vocês são como a neblina que aparece por um pouco de tempo e depois se dissipa. Ao invés disso, deveriam dizer: "Se o Senhor quiser, viveremos e faremos isto ou aquilo".
>
> Tiago 4.13-15

O texto de Tiago apresenta considerações importantes sobre a vida (seja a de formigas, seja a de seres humanos). Primeiro, ela

CONCLUSÃO   107

é complexa, trabalhosa, cheia de compras e vendas, lucros e pre-
juízos, idas e vindas, pessoas e lugares, objetivos e atividades, dias
e anos, decisões e mais decisões. Tiago fala de pessoas que fazem
planos e avaliações justamente porque a vida é assim: cheia de desafios. Há a esfera profissional, os estudos acadêmicos, o lazer, o
entretenimento, a família, o amor, as viagens, os passeios, os ami-
gos de infância, os colegas de academia, os esportes, a literatura,
a música, os festivais, a imprensa, os restaurantes, os parques, as
crianças, outros países, outras culturas, outras histórias. A vida é
incrivelmente complexa. Uma enorme teia de relacionamentos,
informações e sonhos. Viver dá trabalho.

Segundo, a vida é incerta, frágil, sem garantias, suave como
uma neblina. "Não se gabe do dia de amanhã, pois você não sabe
o que este ou aquele dia poderá trazer" (Pv 27.1). Temos a memória para lidar com o passado, mas somente a esperança para lidar
com o futuro: não temos certezas quanto ao que ainda está por vir.
Como afirmou o poeta Fernando Pessoa, "todas as frases do livro
da vida, se lidas até o fim, terminam numa interrogação".[2] Basta
uma gripe e uma pessoa cheia de energia cai prostrada. Um ví-
rus, uma bactéria. Um simples aperto de mão e alguém é con-
taminado com uma doença. Um acidente. Um imprevisto. Um
prejuízo repentino. Uma crise na bolsa de valores e o sujeito perde
tudo o que conquistou materialmente ao longo da vida. Basta uma
decepção para que uma amizade de anos se desfaça para sempre.
A vida é abarrotada de imprevistos, incertezas, inseguranças. "Vocês nem sabem o que lhes acontecerá amanhã!", afirmou Tiago.

Terceiro, a vida é passageira, curta, breve e logo se dissipa
como uma neblina. Nossos dias "correm mais depressa que a lan-
çadeira do tecelão" (Jó 7.6), são como a nuvem, que "se esvai e
desaparece" (Jó 7.9), "não passam de uma sombra" (Jó 8.9), "correm mais velozes que um atleta" (Jó 9.25). A vida passa muito
rápido. O tempo é imperdoável: ele se vai e não volta. O antropó-
logo Darcy Ribeiro disse certa vez em uma entrevista de televisão:
"O tempo é aquilo que nos faz e desfaz! Ele me fez de menino um
homem, e me desfez de homem em velho". Vida, morte e eternidade estão presentes nas reflexões do capítulo 3 de Eclesiastes: "Para
tudo há uma ocasião certa; há um tempo certo para cada propósito

108 FORMIGAS

debaixo do céu" (v. 1). Portanto, seja o nascimento, seja a morte, seja o que for: nada é por acidente. De acordo com as Escrituras, tudo tem um propósito maior nas mãos de Deus. Eclesiastes mostra a importância de colocar toda a nossa vida sob o prisma da eternidade, pois "tudo o que Deus faz permanecerá para sempre" (v. 14). A pergunta é: "O que ganha o trabalhador com todo o seu esforço?" (v. 9). A resposta vem logo adiante: "Descobri também que poder comer, beber e ser recompensado pelo seu trabalho é um presente de Deus" (v. 13). Em outras palavras, o homem deve desfrutar do resultado de seu trabalho, como uma dádiva celestial. Mas o foco deve ser sempre a eternidade: Deus "pôs no coração do homem o anseio pela eternidade" (v. 11). Existe no ser humano uma sede espiritual, e nada que é transitório pode saciá-la: nós fomos feitos para a eternidade.

Portanto, precisamos ver bem o que estamos fazendo com a nossa vida, pois ela é complexa, frágil e curta; não podemos desperdiçá-la. Não devemos ter medo da morte, mas de não desfrutar a vida plenamente! Não podemos torná-la mais complicada do que já é, tampouco desrespeitar nossos limites físicos, psíquicos e espirituais. Não podemos viver sem refletir no sentido maior de todas as coisas. Precisamos viver uma existência valorosa e bem--aventurada! Aprendemos que é possível, sim, viver uma vida feliz, apesar de todos os desafios. Podemos olhar para a natureza e ver, por exemplo, o testemunho das formigas: trabalhadoras, produtivas. Também devemos olhar para a História e ver o testemunho de homens sábios e bem-sucedidos, como o rei Salomão. Não podemos simplesmente nos prostrar diante dos desafios. Como afirmou o astrofísico Hubert Reeves:

> Quantos artistas, pintores, poetas e músicos persistiram toda a vida em sua atividade a despeito às vezes de condições dificílimas. Beethoven, atingido por uma surdez progressiva e paralisante, obstina--se em seu trabalho. [...] É a mesma coisa para Van Gogh sentindo o acometimento da loucura, Rembrandt coberto de dívidas, García Lorca [...] e muitos outros ainda.[3]

Apesar dos percalços, tais indivíduos realizaram feitos impressionantes! Podemos olhar para Deus por meio de sua revelação específica, a Bíblia, e ver inúmeras orientações para que vivamos de modo digno e para a glória divina. O texto de Tiago fala de pessoas que faziam muitos planos profissionais, mas que não incluíam os desígnios do Criador. A fé professada por esses homens não estava em Deus, mas nos negócios. Há indicação de tudo que eles fariam, mas não há indicação de temor ao Senhor. Não é errado planejar; errado é confiar apenas em nosso planejamento. Precisamos da bênção de Deus, pois somos frágeis e passageiros, como as formigas. Não se esqueça do provérbio: "Consagre ao Senhor tudo o que você faz, e os seus planos serão bem-sucedidos"(Pv 16.3).

> Não é errado planejar; errado é confiar apenas em nosso planejamento. Precisamos da bênção de Deus.

Uma formiga vive no máximo alguns anos: a operária pode viver de poucas semanas a seis anos, e a rainha, até quinze anos. Para nós esse é um tempo muito pequeno. Do mesmo modo, os humanos vivem, em média, entre 70 e 75 anos, o que, aos olhos do Deus eterno, é um sopro. Olhamos para uma pequenina formiga e nos perguntamos: "Como ela viverá em tão breve tempo?". Basta observá-la! Ela trabalhará! Com diligência, estocará mantimentos para o inverno. E é exatamente neste ponto que notamos algo surpreendente: a maioria das formigas vive apenas uma única estação. Isso é muito interessante! A maioria das formigas que nascem no verão não estará viva no inverno. Ainda assim, essas formigas trabalham! Esse é o sentido de sua vida, é o que determina seu instinto, é o projeto do Criador para elas. Elas morrem, mas deixam um legado, providenciam alimento para as que virão em seguida — assim como outras labutaram antes delas e lhes deixaram o que comer. Mesmo que vivam por um curto período, há um compromisso geracional, uma aliança com sua espécie. Assim, elas morrem, mas seu exemplo permanece para sempre e seu trabalho continua testemunhando o poder, a sabedoria e a glória de Deus. Que também possamos ter uma visão e uma compreensão maior da vida, assim como teve o apóstolo Paulo:

> Aprendi a adaptar-me a toda e qualquer circunstância. Sei o que é passar necessidade e sei o que é ter fartura. Aprendi o segredo de viver contente em toda e qualquer situação, seja bem alimentado, seja com fome, tendo muito, ou passando necessidade. Tudo posso naquele que me fortalece.

> Filipenses 4.11-13

Essas palavras são urgentes para o nosso tempo. No mundo consumista, impera a reclamação. A lógica do consumismo é a lógica da insatisfação. As pessoas nunca estão satisfeitas com aquilo que têm; necessidades artificiais são geradas ininterruptamente. Sempre há uma nova versão de um produto, e o mercado vive à frente, criando pensamentos como: "Não estou satisfeito com meu *smartphone*; quero o último modelo. Não estou satisfeito com meu carro; quero um novo. Não estou satisfeito com minha família; quero uma nova. Quero o novo: o *meme* novo, a piada nova, a notícia nova, a moda nova, um corpo novo". Vivemos no que o filósofo Gilles Lipovetsky chama de "império do efêmero" e, assim, nunca estamos satisfeitos. Faça um desafio a você mesmo: tente ficar um dia inteiro sem reclamar. É difícil e, quando menos percebemos, estamos nos queixando de alguma coisa. Mas Paulo descobriu algo fundamental: estar satisfeito a despeito das circunstâncias. E convém ressaltar que, quando escreveu essas linhas, ele estava em uma cadeia, preso injustamente. Hoje é o contrário: se a pessoa não tem nada, reclama; se tem tudo, reclama do mesmo jeito. Paulo aprendeu um segredo: viver apesar das circunstâncias.

Isso não significa, porém, que ele era conformado com tudo. Muito pelo contrário. Paulo chegou a afirmar para aqueles que eram escravos em seu tempo: "Se você puder conseguir a liberdade, consiga-a" (1Co 7.21). Ou seja: você tem a chance de melhorar? Não desperdice essa oportunidade! Você tem a oportunidade de crescer profissionalmente? Aproveite! Você pode fazer um intercâmbio estudantil no exterior? Faça! "Tenham cuidado com a maneira como vocês vivem; que não seja como insensatos, mas como sábios, aproveitando ao máximo cada oportunidade, porque os dias são maus" (Ef 5.15-16).

Contudo, você pode se considerar satisfeito e realizado ainda que não tenha oportunidade para nada. Paulo diz que aprendeu isso. Ou seja, não nasceu sabendo, não foi automático, não bastou "apertar um botão". Com lutas, sofrimento, injustiças e um coração aberto à instrução, Paulo aprendeu a ser totalmente confiante e a ser totalmente dependente. Esse é o grande segredo.

Devemos ser totalmente confiantes. Pare de impor limitações a si mesmo! Pare de usar desculpas para tudo! Justificar um erro é errar outra vez. Quem vive de justificativas jamais se desenvolve. Reconheça seus erros, esteja aberto a mudanças. Não se prostre. Contorne os obstáculos, como fazem as formigas. Se a folhinha cair, volte pacientemente e pegue-a de novo. Carregue quantas vezes forem necessárias. Levante a cabeça. Erga-se! E lembre-se: seja totalmente dependente de Deus. "Tudo posso naquele que me fortalece" — é Deus quem nos fortalece. É ele quem nos dá a vida. É ele quem nos dá energia para o trabalho. Ele é o mesmo ontem, hoje e eternamente.

Esperamos que você tenha aprendido lições valiosas com as formigas. Agora, é hora de pôr em prática esse aprendizado. Está preparado? Então, *formigue-se!*

Apêndice

Dez lições que aprendemos com as formigas

1. *Trabalhe com vontade*. Temos de encarar as responsabilidades com peito aberto! A palavra "responsável" significa "aquele que responde pelos seus atos ou pelos de outrem".[1] Devemos corresponder, ser uma resposta, e não um problema!
2. *Trabalhe com entendimento*. É preciso compreender as profundas razões para o trabalho. Trabalhar não é uma maldição; é uma bênção. O trabalho é um presente divino por meio do qual podemos honrar o Criador, prover o sustento para nossa família, ajudar os necessitados e cumprir nossa vocação!
3. *Seja organizado em tudo*. A organização da vida contribui para nosso amadurecimento. Devemos traçar metas claras e estratégias definidas, sem falsas expectativas, mas com muita serenidade e alegria.
4. *Tenha iniciativa*. Não podemos ficar esperando os outros, nem seguir adiando mudanças cruciais.
5. *Adquira recursos*. Temos de levar a vida financeira a sério, a fim de que possamos prover nossa família e repartir com os necessitados.
6. *Economize*. Não podemos ser levados pelos desmandos da sociedade consumista e gastar mais do que ganhamos. Precisamos de coerência e sabedoria na administração dos recursos.
7. *Trabalhe em equipe*. É necessário compreender a dinâmica do mercado de trabalho sem que sejamos corrompidos pela

vaidade e pela arrogância. Devemos apresentar um espírito colaborador, aberto, solidário.

8. *Administre o tempo com inteligência.* Sendo o tempo nosso recurso mais valioso, precisamos ser produtivos.

9. *Conclua suas atividades.* Não podemos ser fogo de palha. Sejamos perseverantes, constantes, guerreiros.

10. *Desfrute dos resultados de seu trabalho.* Precisamos saber a hora de descansar, de curtir, de nos alegrar!

Notas

Lição 2

[1] *Os insetos: 2º livro*, p. 197.

Lição 3

[1] *100 maneiras de motivar as pessoas*, p. 39.
[2] John Maxwell, *Você pode realizar seu sonho*, p. 51.
[3] Rita Emmet, *Não deixe para depois o que você pode fazer agora*, p. 66.

Lição 5

[1] *Uma nação sob a ira de Deus*, p. 41.

Lição 6

[1] Denise Gomide, *Como fugir das dívidas*, p. 7.
[2] *Promessas nossas de cada dia*, p. 15.

Lição 7

[1] Carlos Mesters, *Paulo apóstolo: um trabalhador que anuncia o evangelho*, p. 43.
[2] *Celebração da disciplina*, p. 158.
[3] *O melhor de Charles Spurgeon*, p. 59.
[4] Disponível em: <http://www.bbc.com/portuguese/noticias/2015/07/150729_formigas_forca_lab>. Acesso em: 11 de nov. de 2015.
[5] John Caunt, *Organize-se*, p. 88-89.

Lição 8

[1] *Tempo: gerencie-o com sucesso e melhore seu desempenho e sua qualidade de vida no trabalho*, p. 10.

Lição 9

[1] *Roube como um artista: 10 dicas sobre criatividade*, p. 127.

Lição 10

[1] Wendy GREEN, *50 coisas que você pode fazer para combater a insônia*, p. 45.
[2] *A felicidade segundo Jesus*, p. 77.

Conclusão

[1] p. 23.
[2] *Aforismos e afins*, p. 30.
[3] *Os artesãos do oitavo dia*, p. 44.

Apêndice

[1] HOUAISS, Antônio. *Dicionário eletrônico Houaiss da língua portuguesa*. Rio de Janeiro: Objetiva, 2004.

Bibliografia

CARROLL, Lewis. *Alice no país das maravilhas*. São Paulo: Cosac Naify, 2009.

CARVALHO, J. B. *Promessas nossas de cada dia*. Brasília: Chara, 2009.

CAUNT, John. *Organize-se*. São Paulo: Clio, 2006.

CHANDLER, Steve; RICHARDSON, Scott. *100 maneiras de motivar as pessoas*. Rio de Janeiro: Sextante, 2008.

EMMET, Rita. *Não deixe para depois o que você pode fazer agora*. Rio de Janeiro: Sextante, 2008.

FORSYTH, Patrick. *Tempo: gerencie-o com sucesso e melhore seu desempenho e sua qualidade de vida no trabalho*. São Paulo: Clio Editora, 2010.

FOSTER, Richard. *A liberdade da simplicidade*. São Paulo: Vida, 2008.

_____. *Celebração da disciplina*. São Paulo: Vida, 2006.

GALIMBERTI, Umberto. *Os vícios capitais e os novos vícios*. São Paulo: Paulus, 2004.

GOMIDE, Denise. *Como fugir das dívidas*. Barueri: Gold, 2007.

GREEN, Wendy. *50 coisas que você pode fazer para combater a insônia*. São Paulo: Lafonte, 2011.

HAN, Byung-Chul. *Sociedade do cansaço*. Petrópolis: Vozes, 2015.

HOUAISS, Antônio. *Dicionário eletrônico Houaiss da língua portuguesa*. Rio de Janeiro: Objetiva, 2004.

KLEON, Austin. *Roube como um artista: 10 dicas sobre criatividade*. Rio de Janeiro: Rocco, 2013.

LAZZARESCHI, Noêmia. *Trabalho ou emprego?* São Paulo: Paulus, 2007.

LEVINE, Stuart R. *Vá direto ao assunto*. Rio de Janeiro: Sextante, 2009.

LLOYD-JONES, D. Martyn. *Uma nação sob a ira de Deus*. Rio de Janeiro: Textus, 2000.

MAXWELL, John. *Você pode realizar seu sonho*. Rio de Janeiro: Thomas Nelson Brasil, 2009.

MESTERS, Carlos. *Paulo apóstolo: um trabalhador que anuncia o evangelho*. São Paulo: Paulus, 2012.

OLIVEIRA, Carlos Roberto de. *História do trabalho*. 5. ed. São Paulo: Ática, 2006.

PESSOA, Fernando. *Aforismos e afins*. São Paulo: Companhia das Letras, 2006.

PILLE, Lolita. *Cidade da penumbra*. Rio de Janeiro: Intrínseca, 2010.

PINK, Arthur. *Os atributos de Deus*. São Paulo: PES, 2001.

PIPER, John. *Um homem chamado Jesus*. São Paulo: Vida.

REEVES, Hubert. *Os artesãos do oitavo dia*. São Paulo: Unesp, 2002.

SANTOS, Eurico. *Os insetos: 2º livro*. Belo Horizonte: Itatiaia, 1985.

SHEDD, Russell. *A felicidade segundo Jesus*. São Paulo: Vida Nova, 1998.

SPURGEON, Charles H. *O melhor de Charles Spurgeon*. Rio de Janeiro: CPAD, 2007.

_____. *Sabedoria bíblica: conselhos simples para pessoas simples*. São Paulo: Shedd, 2006.

TZU, Sun. *A arte da guerra*. Petrópolis: Vozes de Bolso, 2013.

WILSON, Edward O. *Cartas a um jovem cientista*. São Paulo: Companhia das Letras, 2015.

Sobre os autores

Davi Lago é mestre em Teoria do Direito e graduado em Direito pela PUC Minas. É pesquisador do Laboratório de Política, Comportamento e Mídia da Fundação São Paulo (LABÔ), onde coordena o grupo de pesquisa sobre Cidades Transparentes. Atua como colunista do portal HSM Management, assinando o *blog* Perspectivas de Carreira, e publica artigos regularmente em seu *website* (www.davilago.com) e em diversos portais como Revista Veja, Estado da Arte/Estadão, Jornal Em Tempo e G1. É também autor de *Brasil polifônico*, publicado pela Mundo Cristão. Atua ainda como capelão da Primeira Igreja Batista em São Paulo e como embaixador da Visão Mundial. É casado com Natália e pai da Maria.

William Douglas é juiz federal (RJ), professor universitário, mestre em Direito, pós-graduado em Políticas Públicas e Governo e conferencista. É autor de mais de 50 livros, incluindo *best-sellers* como *As 25 leis bíblicas do sucesso* e *Como passar em provas e concursos*. Já ultrapassou as marcas de 1,2 milhão de livros vendidos e 2,5 milhões de espectadores em suas palestras. É embaixador da Missão Vida, membro da Educafro e coordenador de empreendedorismo do Projeto Cristolândia, da Convenção Batista Brasileira. É casado com Nayara e pai de Fernanda Luísa, Lucas e Samuel. Publica artigos e vídeos regularmente em seu *website* (www.williamdouglas.com.br).

Anotações

Anotações

Anotações

Compartilhe suas impressões de leitura escrevendo para:
opiniao-do-leitor@mundocristao.com.br
Acesse nosso *site:* www.mundocristao.com.br

Equipe MC:	Maurício Zágari (editor)
	Heda Lopes
	Natália Custódio
Diagramação:	Luciana Di Iorio
Preparação:	Luciana Chagas
Revisão:	Josemar de Souza Pinto
Gráfica:	Imprensa da Fé
Fonte:	Adobe Garamond Pro
Papel:	Pólen Natural 70 g/m^2 (miolo)
	Cartão 250 g/m^2 (capa)